増補改訂版

「日本語能力試験」対策

日本語総まとめ N3
NIHONGO SO-MATOME

佐々木仁子　松本紀子

読解
どっかい

|読解|Reading Comprehension|閲読理解|독해|

ask

はじめに

この本は
- ▶「日本語能力試験」N3 合格を目指す人
- ▶ 初級を終えて、中級に進むための力をつけたい人
- ▶ 少し長い文章が読めるようになりたい人

のための学習書です。

◆この本の特長◆

・少し易しい会話文で準備をしてから N3 レベルの読解練習をするので、無理なく学習が進められます。

・情報検索や内容理解のための読解スキルはもちろん、文章理解の基礎となる文章の文法（接続表現・指示語・機能語・敬語など）のポイントも解説。基礎固めをしながら学習できます。

・1週間に1回分、テストがついているので、理解の確認ができます。

・難しいところには英語・中国語・韓国語の訳がついていますから、一人でも勉強できます。

・模擬試験があるので、より実際のテストに近い形で確認ができます。

では、楽しく勉強しましょう！

2023 年 5 月

佐々木仁子・松本紀子

This study book is for:
- those who are seriously studying for the JLPT Level N3,
- have finished the beginners' level and wish to get ready for the intermediate level
- those who wish to be able to read longer passages

The special features of this book
- You will study without much difficulty because you will start with relatively easy spoken language and then move up to N3 level reading,
- You will learn skills for searching for information and understanding main ideas, as well as key grammar (i.e., conjunctive expressions, demonstratives, functional words, polite language etc.), which will be useful for understanding the passages you read,
- The inclusion of a weekly test will enable you to regularly check your learning,
- The English, Chinese, and Korean translations are included for difficult sentences and words, which will enable you to study alone,
- You can test your ability with the JLPT practice exams.

Let's enjoy learning!

本书是针对以下各位朋友而专门编写的学习辅导书。
・决心考取"日语能力考试"N3（3级）资格的朋友；
・已学完初级内容，希望能达到中级水平的朋友；
・想要看懂较长的文章。

◆本书的特色◆
・先利用稍微简单的对话文做好准备后，再进入 N3（3级）水平的读解练习，由浅入深，循序渐进。
・不仅提高检索信息或理解内容的读解能力，还针对作为理解文章的基础语法要点（连接词、指示代词、功能词、敬语等）加以解说，可以边巩固基础边深入学习。
・1 周附有 1 回考试，能确认理解程度。
・对较难的句子附有英语、汉语、韩语的译文，可以用于自学。
・由于有模拟考试，可以更接近实际考试的形式测试水平。
现在让我们来快乐地学习吧！

이 책은
・「일본어 능력 시험」N3 의 합격을 목표로 공부하고 있는 사람
・초급을 마치고, 중급에 올라가기 위해 실력을 쌓고 싶은 사람
・조금 긴 문장을 읽을 수 있게 되고 싶은 사람을
위한 학습서입니다.

◆이 책의 특장◆
・조금 쉬운 회화문으로 연습을 한 후, N3 레벨의 독해 연습을 하니까, 무리없이 학습을 향상시킬 수 있습니다.
・정보 검색이나 내용 이해를 위한 독해의 기술은 물론, 문장을 이해하는 데 기초가 되는 문장의 문법 (접속 표현・지시어・기능어・존경어 등) 의 요점도 해설되어 있습니다. 기초를 다지면서 학습을 할 수 있습니다.
・1주에 1회분, 시험이 달려 있기 때문에 이해를 확인할 수 있습니다.
・어려운 곳에는 영어・중국어・한국어의 번역이 있기 때문에, 혼자서도 공부할 수 있습니다.
・모의 테스트가 있으므로, 보다 실제 테스트에 가까운 형식으로로 실력을 확인할 수 있습니다.
그럼, 즐겁게 공부해 봅시다!

目　次
もくじ

5

「日本語能力試験」 N3について

About the Japanese Language Proficiency Test (JLPT) Level N3　关于"日语能力考试" N3　「일본어 능력 시험」 N3 에 대해서

➡ 試験日

年2回（7月と12月の初旬の日曜日）

※海外では、試験が年1回の都市があります。

➡ レベルと認定の目安

レベルは5段階（N1 ～ N5）です。

N3の認定の目安は、「日常的な場面で使われる日本語をある程度理解することができる」です。

➡ 試験科目と試験時間

N3	言語知識（文字・語彙）	言語知識（文法）・読解	聴解
	（30分）	（70分）	（40分）

➡ 合否の判定

「得点区分別得点」と、それらを合計した「総合得点」の二つで合否判定を行います。

得点区分ごとに基準点が設けられており、一つでも基準点に達していない場合は、総合得点が高くても不合格になります。

得点区分

N3	言語知識（文字・語彙・文法）	読解	聴解
0 ～ 180 点	0 ～ 60 点	0 ～ 60 点	0 ～ 60 点

総合得点　　　　　　　　　　　　　　　　　得点の範囲

➡ N3 「読解」の問題構成と問題形式
どっかい もんだいこうせい もんだいけいしき

大問 だいもん	小問数 しょうもんすう	ねらい
内容理解 ないようりかい （短文） たんぶん	4	生活・仕事などのいろいろな話題も含め、説明文や指示文など150 せいかつ しごと わだい ふく せつめいぶん しじぶん 〜 200 字程度の書き下ろしのテキストを読んで、内容が理解できる じていど か お よ ないよう りかい かを問う。 と
内容理解 ないようりかい （中文） ちゅうぶん	6	書き下ろした解説、エッセイなど350 字程度のテキストを読んで、 か お かいせつ じていど よ キーワードや因果関係などが理解できるかを問う。 いんがかんけい りかい と
内容理解 ないようりかい （長文） ちょうぶん	4	解説、エッセイ、手紙など550 字程度のテキストを読んで、概要や かいせつ てがみ じていど よ がいよう 論理の展開などが理解できるかを問う。 ろんり てんかい りかい と
情報検索 じょうほうけんさく	2	広告、パンフレットなどの書き下ろした情報素材（600 字程度）の こうこく か お じょうほうそざい じていど 中から必要な情報を探し出すことができるかを問う。 なか ひつよう じょうほう さが だ と

試験日、実施地、出願の手続きのしかたなど、「日本語能力試験」の詳しい情報は、
しけんび じっしち しゅつがん てつづ にほんごのうりょくしけん くわ じょうほう

日本語能力試験のホームページ https//www.jlpt.jp をご参照ください。
にほんごのうりょくしけん さんしょう

この本の使い方
ほん　つか　かた

How to use this book　本书的使用方法　이 책의 사용법

◆ 本書は、第1週～第6週までの6週間で勉強します。お知らせやカタログなどの日常
生活でよく見る文書から始めて、手紙文、意見文・説明文まで徐々にレベルアップし
ていきます。

This book is designed as a 6-week course. You will start with notices, catalogues, etc. you see in your daily life, then will gradually move up to higher level sentences such as letters, opinion essays, explanatory texts, etc..

本书从第1周到第6周总共分6周进行学习。从通知书、目录等日常生活中经常接触的文章开始，到能够阅读信件内容、评论文章、论说文等难度较高的文章，帮助大家渐渐提高阅读能力。

본 책은, 제1 주부터 제6 주까지 6 주간 공부를 할 수 있게 짜여 있습니다. 알림장이나 상품 안내서 등, 일상생활에서 흔히 접하는 문서부터 시작해서, 편지, 의견문·설명문에 이르기까지 점차 레벨이 올라갑니다.

◇ まず、ここに書いてあること
をよく読みましょう。文章を
理解するためのポイントが書
いてあります。

Please read carefully what is written here. It contains keys to understand sentences.

首先请仔细读这些例句和解说。这些内容都是有助于理解文章的语法要点。

우선, 이곳에 쓰여 있는 것을 잘 읽어 봅시다. 문장을 이해할 수 있게 요점이 쓰여 있습니다.

◇ 「れんしゅう」は右ページの「も
んだい」の文章を理解するた
めの準備練習です。やさしい
話し言葉で書いてあります。

"Renshu" is a warm-up exercise to understand the sentences in the "Mondai" (exercise) on the right hand page. They are written in easy spoken language.

"练习"栏中的内容是为理解右页"问题"文章的预备练习，使用了简单易懂的口语表现。

「연습」은 오른쪽 페이지의 「문제」의 문장을 이해하는 데 필요한 준비 연습입니다. 알기 쉬운 말로 쓰여 있습니다.

◇ 「れんしゅう」の会話文を読
んだら、正しく理解できたか
チェックをします。答えは次
のページの右下にあります。

After you finish reading "Renshu"(warm-up exercise), check to see if you have understood it correctly. The answers are at the bottom right of the next page.

阅读"练习"栏中的对话文后，通过选项确认是否已正确理解。答案在下一页的右下角。

「연습」의 회화문을 읽은 다음, 정확히 이해했는가를 확인합니다. 해답은 다음 페이지의 오른쪽 하단에 있습니다.

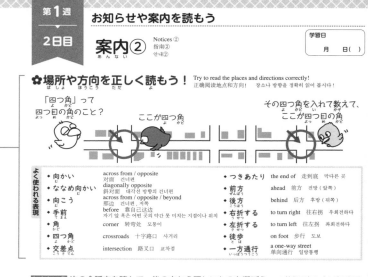

◆各週の１日目から６日目まではポイント別の読解練習です。７日目は日本語能力試験に近い形式の「まとめの問題」で、その週に勉強したことを確認します。

Every week from Day 1 to Day 6, you will practice reading various sentence structures, and on Day 7, you will review what you have learned in the summary questions which follows the JLPT format.
每周从第１天到第６天，针对不同的要点进行读解练习。第７天利用与日语能力考试相似的"综合问题"，确认该周的学习成果。
각 주의 첫날부터 6일째까지는 요점별 독해 연습입니다. 7일째는 일본어 능력 시험에 가까운 형식의 정리 문제로 그 주에 공부한 내용을 확인합니다.

◆第６週が終わった後は、「模擬試験」で日本語能力試験と同じ形式の問題を解いてみましょう。

After you finished the 6th week, please try to answer the questions in practice tests which questions are designed in the same format as JLPT exam.
第６周结束以后，请尝试解答和日语能力考试一样出题形式的"模拟考试"吧！
6주 차가 끝난 후에는 "모의고사"에서 일본어능력시험과 같은 형식의 문제를 풀어봅시다.

| １日目〜６日目 話し言葉→書き言葉 の読解練習 | ７日目 まとめの問題で 力がついたか確認 | → | 次の週へ | → | 模擬試験 |

◇「もんだい」には音声がついています（一部のもんだいを除く）。復習や音読用にぜひご活用ください。

There are audios of the "Mondai" (except for a few questions). You may use it for revision or shadowing.
"问题"附有音频（除了一部分问题以外）。可以用作复习和跟读。
[문제] 에는 음성이 있습니다 (일부 문제 제외). 복습이나 음독용에 활용해 주세요.

もんだい 次の案内を見て、後の問いに答えなさい。 ▶答えは p.17 　🔊 No.02
※部分翻訳や解説は別冊 p.2

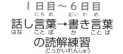

会場の案内図

会　場
地下1階

有料駐車場

５番出口

ドラッグストア

❷ ❸ ❺
さくら野
❶ ❹ 地下鉄けやき線
タワービル

・地下鉄さくら野駅より徒歩 10 分
・５番出口を出て、タワービル方面に向かって歩き、４つ目の信号で左折してください。そこから 100 メートルほど行ったところにドラッグストアがあります。その角から４軒向こうのビルの地下です。
・会場のななめ向かいに有料駐車場（※）があります。
　※ビルの前の道路は一方通行になっています。お車の場合は、ご注意ください。

（※）有料駐車場：a pay parking lot　付费停车场　유료 주차장

問1 タワービル方面に向かって歩きとはどういう意味か。

1 タワービルに着くまで歩く
2 タワービルを前のほうに見ながら歩く
3 タワービルに向かって左のほうに歩く
4 タワービルを通り過ぎるまで歩く

問2 この案内の内容と合っているものはどれか。

1 ドラッグストアの４軒となりに有料駐車場がある。
2 ドラッグストアと会場は約 100 メートル離れている。
3 ビルの前の道は一方通行である。
4 会場へは車で来てはいけない。

もんだい（p.13）の答え：問1．4　問2．4

（左ページの答え→1・5）

◇実用的な文書から少し難しい読み物まで、様々な文章を読みます。

You will read various sentences, ranging from practical daily ones to those which are a little more difficult.
从实用的文章到较难的读物，练习阅读各种文章。
실용적인 문서부터 조금 어려운 읽을거리까지, 다양한 문장을 읽게 됩니다.

◇前の日の「もんだい」の答えです。

These are the answers to the previous day's "Mondai".
前一天的"问题"答案。
전날의 "문제"의 답입니다.

第1週
第2週
第3週
第4週
第5週
第6週

◆ １日目～６日目まではすべての漢字の下にルビがついています。ルビを隠しながら読むと漢字を読む練習になるでしょう。

７日目の「まとめの問題」と「模擬試験」は、日本語能力試験に合わせて、Ｎ２レベル以上の漢字の上にルビをつけてあります。

Kana reading is found underneath the kanjis in the lessons from Day 1 to Day 6. It will be good practice for reading if you cover it as you read. The summary questions and practice test on Day 7 are tailored to the JLPT, with kana characters printed alongside kanji that are more difficult than the N2 level.

第１天到第６天部分的所有汉字下方均标注假名。遮盖标注的假名来阅读，就能帮助提高汉字读音能力。第７天的"综合问题"和"模拟考试"会根据日语能力考试，在难于N2级别的汉字上标注注音假名。

첫날부터 6 일째까지는 모든 한자의 아래에 한자 음 (루비) 이 쓰여 있습니다 . 그 한자 음을 가리면서 읽으면 한자의 읽기 연습이 될 것입니다 . 7 일째의 ' 정리 문제' 와 ' 모의고사' 의 경우 , 일본어능력시험을 기준으로 N2 수준보다 어려운 한자에는 후리가나가 달려있습니다 .

◆ 問題を解いたら、必ず答え合わせをしましょう。問題の部分翻訳や解説は別冊に書いてあります。巻末についていますので、取り外して使ってください。

After you answer the questions, check to see if your answers are correct. Translations of excerpted sentence and explanations can be found in the removable booklet attached at the back of this book.

答题后，一定要对答案。问题的读解文的一部分翻译・解说在附册在本书的最后，请裁剪下来使用。

문제를 풀면 반드시 답을 맞춰 봅시다 . 발췌 문장의 번역・해설은 별책에 쓰여 있습니다 . 책 끝에 붙어 있으니 따로 떼어서 사용해 주세요 .

◆ 「まとめの問題」と「模擬試験」は、時間を計って、テストのつもりで解きましょう。制限時間内に終わらない場合も最後まで続けましょう。

The summary questions and practice tests are timed, and you should try to solve them as if they were real tests. However, answer all the questions even if you are unable to finish within the time limit.

做"综合问题"和"模拟考试"时，请计算时间，当作真正的考试来解答。即使没能在规定的时间内完成，也坚持到最后吧。

' 정리 문제' 와 ' 모의고사' 는 시간을 재면서 실제 시험처럼 풀어보세요 . 제한시간 내에 끝내지 못하더라도 끝까지 풀어봅시다 .

◆ 「もんだい」の音声は以下からダウンロードできます。

You can download audio of the "Mondai" from the link below.

"问题"的语音可以从以下链接下载。

" 문제 " 의 음성은 아래에서 다운로드 가능합니다 .

・アスク出版のホームページ：https://www.ask-books.com/jp/so-matome-dl/

ASK Publishing website ASK 出版的主页 ASK 출판 홈페이지

・Apple Podcast・Spotify に対応しています。

Compatible with Apple Podcast and Spotify.

也可以在 Apple Podcast 和 Spotify 中收听。Apple Podcast, Spotify 에서도 이용 가능합니다 .

◆ 答え・解説または訳の場所は下の表の通りです。

The location of the answer, commentary, or translation is as shown in the table below.

解答，解说或者翻译的位置，如下表所示。

정답 및 해설 또는 번역이 기재된 곳은 아래 표와 같습니다 .

	答え Answer 解答 정답	解説または訳 Commentary or translation 解说或者翻译 해설 또는 번역
１～６日目　もんだい	２ページ先	
７日目　「まとめの問題」	次の週の１日目の右ページ下 （第６週のみ問題２の下）	別冊
模擬試験	別冊	

第1週
だい しゅう

お知らせや案内を読もう
し あんない よ

Try to read notices and information!

阅读各种启事和指南

알림장이나 안내를 읽어 봅시다

お知らせや案内を読もう

案内① Notices ①
指南①
안내①

✿ 日時を正しく読もう！
Try to read dates and times correctly!
正确阅读日期和时间！　날짜와 시각을 정확히 읽어 봅시다！

もう開いて
いるのかな？

今日は
休みだよ！

休館日

★ 例外がないか注意して読もう。
Try to read paying attentions to exceptions.
阅读时注意是否有例外。
예외가 있는지 주의하면서 읽어 봅시다．

よく使われる表現

◆ 上旬／初旬	the first 10 days of the month 上旬　상순／초순	◆ 年末年始	the year-end and the beginning of the New Year 年底和年初　연말연시
◆ 中旬	the middle 10 days of the month 中旬　중순	◆ 正午	noon　中午　정오
◆ 下旬	the last 10 days of the month 下旬　하순	◆ 19 時	7 pm　19 点　19 시
◆ 第 2 月曜日	the second Monday of the month 第二个星期一　두 번째 주 월요일	◆ 祝日	national holiday　节假日　경축일
◆ ただし	however　不过　단，다만	◆ なお	further　此外　또한

＊「ただし、……」は例外を言うとき、「なお、……」は説明をつけ加えるときに使います。

'ただし ...' is used when an exception is given. 'なお ...' is used when an explanation is added.
「ただし……」用在表示例外的时候，「なお……」在追加说明的时候使用。
「ただし……」는 예외를 말할 때，「なお……」는 설명을 덧붙일 때에 사용합니다．

れんしゅう 次の会話文を読んで、後の文から正しいものを選ぼう。　▶答えは次のページの右下

女子学生：これからどうするの？

男子学生：レポート書かないといけないから、中央図書館へ行くつもりなんだ。

女子学生：え？　今日は第3月曜日だから休みなんじゃないの？

男子学生：ううん、開いてるよ。第3月曜日が祝日の場合は次の日が休みになるんだ。

女子学生：あ、そう。知らなかった。じゃ、明日が休みということね。私も調べた
いことがあるから、一緒に行こう。

□1　今日は祝日である。

□2　今日、図書館は休みである。

□3　男子学生は今日が第3月曜日だということを知らなかった。

□4　女子学生は最初、今日は図書館が休みだと思っていた。

□5　明日は火曜日で図書館は開いている。

▶「休みなんじゃないの？」は「休みだと思う」という意味で言っている。

もんだい 次の案内を見て、後の問いに答えなさい。　▶答えは p.15　🔊 No.01

＊部分翻訳や解説は別冊 p.2

第1週
第2週
第3週
第4週
第5週
第6週

たから市　中央図書館
利用案内

開館時間(※1)	平 日	午前 10 時から午後 8 時 （児童室(※2)は午後6時まで）
	土曜日 日曜日 祝 日	午前 10 時から午後 6 時
休 館 日(※3)	第3月曜日	ただし祝日と重なった場合は火曜日が休館
	年末年始	12 月 28 日から 1 月 4 日
	特別休館日	2 月 11 日・5 月 3 日〜5 日・9 月 23 日

＊なお、10 月 1 日より10日までは午後臨時で休館します。

（※1）開館時間：opening hours　开馆时间　개관 시간　　（※2）児童室：children's room　儿童室　아동실

（※3）休館日：holidays　休馆日　휴관일

問1　この図書館で、使用できないのはどの場合か。

1　児童室を午前中に使用する場合

2　10 月の第3金曜日に 20 時まで使用する場合

3　第3月曜日が祝日の場合

4　10 月 10 日の正午から使用する場合

問2　この案内の内容と合っているものはどれか。

1　この図書館は、第3月曜日とその翌日は閉まっている。

2　この図書館は、第3月曜日と年末年始以外は開いている。

3　この図書館では、児童室も毎日図書館の閉館まで使用できる。

4　この図書館は、休館日以外にも臨時で休む日がある。

（左ページの答え→1・4）

お知らせや案内を読もう

案内②
あんない

Notices ②
指南②
안내②

✿場所や方向を正しく読もう！
ばしょ　ほうこう　ただ　よ

Try to read the places and directions correctly!
正确阅读地点和方向！　장소나 방향을 정확히 읽어 봅시다!

「四つ角」って
よ　かど
四つ目の角のこと？
よっ　め　かど

ここが四つ角
よ　かど

その四つ角を入れて数えて、
よ　かど　い　かぞ
ここが四つ目の角
よ　よっ　め　かど

よく使われる表現					
◆ 向かい む	across from / opposite 对面　건너편		◆ つきあたり	the end of　走到底　막다른 곳	
◆ ななめ向かい む	diagonally opposite 斜对面　대각선 방향의 건너편		◆ 前方 ぜんぽう	ahead　前方　전방（앞쪽）	
◆ 向こう む	across from / opposite / beyond 那边　건너편, 저쪽		◆ 後方 こうほう	behind　后方　후방（뒤쪽）	
◆ 手前 てまえ	before　靠自己这边 자기 앞 혹은 어떤 곳의 약간 못 미치는 지점이나 위치		◆ 右折する うせつ	to turn right　往右拐　우회전하다	
◆ 角 かど	corner　转弯处　모퉁이		◆ 左折する させつ	to turn left　往左拐　좌회전하다	
◆ 四つ角 よ　かど	crossroads　十字路口　사거리		◆ 徒歩 とほ	on foot　步行　도보	
◆ 交差点 こうさてん	intersection　路叉口　교차점		◆ 一方通行 いっぽうつうこう	a one-way street 单向通行　일방통행	

れんしゅう 次の会話文を読んで、後の文から正しいものを選ぼう。
つぎ　かいわぶん　よ　あと　ぶん　ただ　えら
▶答えは次のページの右下
こた　つぎ　みぎした

女子学生：ねえ、そろそろ会場に着いてもいいころじゃない？
じょしがくせい　　　　　　　　　　　かいじょう　つ

男子学生：そうだね。ずいぶん歩いたし、変だよね。ドラッグストア（※）の向こうっ
だんしがくせい　　　　　　　　　　ある　　　へん　　　　　　　　　　　　　　　　む

　　　　　て書いてあるけれど、ドラッグストアなんてどこにもないよ。
　　　　　か

女子学生：えーと、ちゃんと４つ目の信号を左に曲がったよね。変ねえ。
じょしがくせい　　　　　　　　　　め　しんごう　ひだり　ま　　　　　　へん

男子学生：あー、４つ目の信号って、地下鉄の出口を出たところの信号も入れて４
だんしがくせい　　　　め　しんごう　　　ちかてつ　でぐち　で　　　　　しんごう　い

　　　　　つ目っていうことだったんだよ、きっと。さあ、戻ろう。
　　　　　め　　　　　　　　　　　　　　　　　　　　もど

女子学生：うん、もうすぐ説明会が始まっちゃうから、急ごう。
じょしがくせい　　　　　　　せつめいかい　はじ　　　　　　いそ

（※）ドラッグストア：a drugstore/pharmacy　药店　화장품 세제등의 판매점을 겸한 약국

☐１　この学生たちは、説明会に行くところである。
がくせい　せつめいかい　い

☐２　この学生たちは、反対に曲がってしまったようだ。
がくせい　はんたい　ま

☐３　ドラッグストアの手前に会場がある。
てまえ　かいじょう

☐４　この学生たちは、ドラッグストアを通り過ぎてしまったようだ。
がくせい　とお　す

☐５　この学生たちは、曲がるところを間違えたようだ。
がくせい　ま　まちが

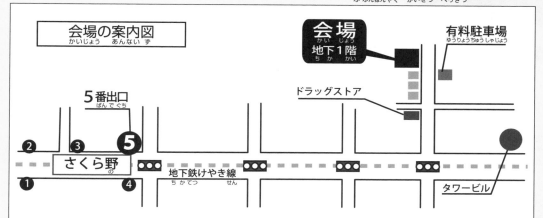

（※）有料駐車場：a pay parking lot　付费停车场　유료 주차장

問1 <u>タワービル方面に向かって歩き</u>とはどういう意味か。

1　タワービルに着くまで歩く

2　タワービルを前のほうに見ながら歩く

3　タワービルに向かって左のほうに歩く

4　タワービルを通り過ぎるまで歩く

問2 この案内の内容と合っているものはどれか。

1　ドラッグストアの4軒となりに有料駐車場がある。

2　ドラッグストアと会場は約 100 メートル離れている。

3　ビルの前の道は一方通行である。

4　会場へは車で来てはいけない。

もんだい（p.13）の答え：問1．**4**　問2．**4**

（左ページの答え→1・5）

案内③
あんない

Notices ③
指南③
案内③

✿意味を間違えやすい言葉に注意しよう！
いみ まちが ことば ちゅうい

Pay attention to tricky expressions!
注意容易理解错误的词汇！
의미를 틀리기 쉬운 말에 주의합시다！

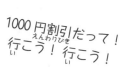

1000円割引だって！
えんわりびき
行こう！行こう！
い い

1000円割引！

9月末まで

それ、ずっと前の
まえ
チラシだよ。
今は12月だよ！
いま がつ

よく使われる表現

◆ チラシ　　　　　　　a leaflet, flyer　广告单
　　　　　　　　　　　전단 (선전, 광고를 위해 사람들에게 돌리
　　　　　　　　　　　거나 눈에 띄는 곳에 붙이거나 하는 종이)

◆ 2000 年以前　　　　prior to year 2000
　　ねん いぜん　　　　2000 年以前　　2000 년 이전

◆ 4人以上のグループ　a group of four or more
　　にん いじょう　　　4 人以上的团体　　4 명 이상의 그룹

◆ 14 歳未満の少年　　boys under 14 years old
　　さい みまん しょうねん　未満 14 岁的少年　　14 세 미만의 소년

◆ 5日以内　　　　　　within 5 days
　　いつか いない　　　5 天以内　　5 일 이내

◆ 10 時以後／以降　　after 10 o'clock
　　じ いご いこう　　10 点以后　　10 시 이후

◆ 30 歳以下の女性　　women 30 years old or under
　　さい いか じょせい　30 岁以下的女性　　30 세 이하의 여성

◆ 10 周年記念　　　　the 10th anniversary
　　しゅうねん きねん　10 周年纪念　　10 주년 기념

＊「以」がつく場合はその数字を含みますが、「未満」がつく場合はその数字を含みません。
　　　　ば あい　　すうじ　ふく　　　　　　　　　　　　　すうじ　ふく
　'以' means it includes the figure in question while '未満' means it excludes the figure.
　有「以」出现时，表示包含其数字，在「未満」出现时，表示不包含其数字。
　（이하 이상의）「이（以）」라는 표현이 있으면 그 숫자를 포함하지만，「미만 (未満)」의 경우는 그 숫자를 포함하지 않습니다．

れんしゅう　次の会話文を読んで、後の文から正しいものを選ぼう。　▶答えは次のページの右下
　　　　つぎ かいわぶん よ あと ぶん ただ えら こた つぎ みぎした

父：このチラシに書いてある「レオン」って、駅前のレストランのことだよね。
ちち　　　　　　　　か　　　　　　　　　　　えきまえ

　　……ふーん、今、10 周年記念サービス期間中か。明日、みんなで行こうか。
　　　　　　　　いま　　しゅうねんきねん　　きかんちゅう　あした

娘：うん、行こう、行こう。1万円以上食べたら、千円割引だし。あそこ、ワイ
むすめ　　い　　い　　　まんえんいじょうた　　せんえんわりびき

　　ンがおいしいんでしょ。今度は私も飲もうかなあ。
　　　　　　　　　　　　　こんど わたし の

父：え？　おまえは、二十歳未満なんだから、まだ酒はダメだよ。
ちち　　　　　　　　はたちみまん　　　　　　さけ

□1　父は「レオン」のある場所を知らない。
　　　ちち　　　　　　ばしょ し

□2　「レオン」は 10 年前に開店した。
　　　　　　　　ねんまえ かいてん

□3　娘は「レオン」でワインを飲んだことがある。
　　　むすめ　　　　　　　の

□4　利用金額がちょうど 1 万円の場合は、千円割引にならない。
　　　りようきんがく　　　まんえん ばあい せんえんわりびき

□5　娘はまだ二十歳になっていない。
　　　むすめ　　はたち

▶ 日本の法律は、二十歳未満の人が酒を飲むことを禁じている。
　　にほん ほうりつ　はたちみまん ひと さけ の　　きん
　Drinking is illegal in Japan for people below the age of twenty.
　日本法律禁止未满20岁的人喝酒。　일본의 법률은，20 세 미만의 사람이 술을 마시는 것을 금지하고 있다．

もんだい 次のチラシを読んで、後の問いに答えなさい。　▶答えは p.19　🔊 No.03

＊部分翻訳や解説は別冊 p.2

第1週　第2週　第3週　第4週　第5週　第6週

5月15日～6月30日

レオン

ワインがおいしい
レストラン

10周年記念サービス

おかげさまで、「レオン」はこの6月に開店10周年を迎えます。

みなさまに感謝の気持ちを込めまして、

期間中、次のプレゼントをご用意してお待ちしております！

その1 ご利用金額より **1,000** 円割引！

（ただし、1グループ(※)で10,000円以上のご利用の場合）

その2 お食事をご注文のお客様全員に **アイスクリーム** を！

そのほか、特別メニューもご用意しております。

この機会にぜひご利用ください。

なお、サービス期間に関係なく、一年中、次のサービスを行っています。

🌸4名様以上のグループでご利用の場合、全員にアイスクリームを！

（お食事をご注文のお客様に限ります。）

🌸コーヒーはお代わり自由です！

（※）1グループ：1 group　1組　1 그룹

問1　アイスクリームのサービスが受けられるのはどの場合か。

1　6月に1人で食事した場合

2　6月に4人で飲み物だけ注文した場合

3　7月に1人で食事した場合

4　7月に4人で飲み物だけ注文した場合

問2　6月に2人でこのレストランに行き、2人合わせて1万円分飲食した場合、支払額はいくらになるか。

1　1,000円　　　2　9,000円　　　3　10,000円　　　4　11,000円

もんだい（p.15）の答え：問1．**2**　問2．**3**

（左ページの答え→2・5）

試験要項
しけんようこう

Examination Details
考试要点
시험 요항

✿似ている言葉に注意しよう！
に　　　　　ことば　　ちゅうい

Pay attention to similar words!
注意相似的词汇！　　비슷한 말에 주의합시다！

レポートは
7月31日までに
提出しないと
いけないって。
がつ　にち
ていしゅつ

7月31日って、
明日だ！
がつ　にち
あした

レポートは
7月31日
までに提出
すること

よく使われる表現

◆10日まで受け付けます。
　とおか　　　う

◆10日までに提出してください。
　とおか　　　　ていしゅつ

◆今回の～（＝何度も行われている中で、現在の～）
　こんかい　　　なんど　おこな　　　なか　　げんざい

◆今度（＝次回）のテストはがんばろう。
　こんど　　じかい

◆今回／今度のテストは難しかった。
　こんかい　こんど　　　　　むずか

＊「今回」「今度」は終わったばかりのものにも使う。
　こんかい　こんど　　お　　　　　　　　　　　つか

It will be accepted until the 10th.
报名截止到 10 日为止。　10 일까지 접수합니다.

It must be submitted by the 10th.
请在 10 日之前提交。　10 일까지는 제출해 주십시오.

This time ... (used for things that occur repeatedly)
这次的～（在屡次进行的事情中，指现在的～）
이번의～（＝여러 번 하는 것 중에서, 현재의～）

I will do my best on the next (coming) test.
下次的考试要一起努力哦！
그 다음（＝다음 회）의 테스트에 열심히 해야지.

The test this time was difficult.
这次的考试真难。　이번 회 / 이번 테스트는 어려웠다.

'Konkai' and 'kondo' are also used for things just finished.
「今回」、「今度」也可以用于刚发生过的事。
「이번 회」「이번」은 막 끝난 것에도 사용한다.

れんしゅう 次の会話文を読んで、後の文から正しいものを選ぼう。　▶答えは次のページの右下
　　　　　つぎ　かいわぶん　よ　　　　あと　ぶん　　ただ　　　　　　えら　　　　こた　つぎ　　　　みぎした

男子学生：もうすぐ、試験だね。ノート、貸してくれない？
だんしがくせい　　　　　　　しけん　　　　　　　　か

女子学生：いいけど、土曜日までに返してよね。私も試験勉強しないといけないから。
じょしがくせい　　　　　どようび　　　　かえ　　　　　わたし　しけんべんきょう

男子学生：うん、わかった。ところで、レポート、書いてる？　おれ、まだ1ページ
だんしがくせい　　　　　　　　　　　　　　　　　　か

しか書いていないんだ。
か

女子学生：わー、それは大変！　31日までに提出しない（※1）と、減点（※2）って書いて
じょしがくせい　　　　　たいへん　　にち　　　　ていしゅつ　　　　　げんてん　　　　　　か

あるし、もし出さなかったら、単位（※3）、もらえないよ。
だ　　　　　　　　たんい

（※1）提出する：to submit, hand in　提出　제출하다　（※2）減点：points taken off　扣分　감점
　　　ていしゅつ　　　　　　　　　　　　　　　　　　　げんてん

（※3）単位：a credit　学分　（대학 등의）학점
　　　たんい

□1　男子学生と女子学生は同じ試験を受ける。
　　だんしがくせい　じょしがくせい　おな　しけん　う

□2　これから男子学生は女子学生にノートを貸してあげる。
　　　　　だんしがくせい　じょしがくせい　　　　　か

□3　男子学生はレポートを書かないつもりである。
　　だんしがくせい　　　　　か

□4　レポートは 31 日に提出すれば、減点にならない。
　　　　　　　　にち　ていしゅつ　　　げんてん

□5　レポートの期限に遅れた場合は、単位がもらえない。
　　　　　　きげん　おく　　ばあい　たんい

もんだい 次の掲示を読んで、後の問いに答えなさい。 ▶答えは p.21 🔊 No.04

＊部分翻訳や解説は別冊 p.2 〜 3

日本語文法Ⅱ　試験とレポートの提出について

中田 敬一

【試験について】

・授業の最終日に試験を行います。

・試験範囲は、教科書の 5 課〜 9 課です。（ただし、P. 35 〜 39 は除きます。）

※これ以外に、授業で話したことも出しますので、授業のノートをしっかり見直しておいてください。

【レポートについて】

・内容については、今学期の 1 週目に渡したプリントで<u>伝えた通り</u>です。

・提出期限は、7 月 31 日です。

　今回は、試験 50% レポート 50% という配分(※1)で成績をつけますので、レポートを提出しない場合は単位を与えません。必ず7月31日までに提出してください。遅れた場合は、減点しますので注意してください。なお、病気などの理由で試験が受けられなかった場合は、上記の(※2)レポートとは別にレポートを提出しなければなりません。何か質問があれば、中田まで連絡してください。

（※1）配分：a distribution　分配　배분　　　（※2）上記の：above mentioned　上述的　상기의

問1　<u>伝えた通りです</u>とあるが、いつどのように伝えたか。

1　今学期の 1 週目の授業のときに、教師が話した。

2　7 月の第 1 週目に、紙に印刷したものを配った。

3　今学期の最初の週に、紙に印刷したものを渡した。

4　今学期の初めに、メールで知らせた。

問2　この掲示の内容と合っていないものはどれか。

1　試験を受けられなかった人は、2 種類のレポートを出さなければならない。

2　試験を受ける人は、1 種類のレポートを書くだけでよい。

3　試験で満点を取っても、レポートを出さない人は単位がもらえない。

4　試験で満点を取れば、レポートを出さなくてもいい。

もんだい (p.17) の答え：問1．**1**　問2．**2**

（左ページの答え→1・4）

お知らせや案内を読もう

募集① Invitation for Applications ①
ぼしゅう
招聘①
모집①

✿特別な表現方法に注意しよう！ Pay attention to special expressions!
とくべつ　ひょうげんほうほう　ちゅうい
注意特殊的表达方式！　特別한 표현 방법에 주의합시다！

求人案内は、
きゅうじんあんない
漢字を並べて短くすることが
かんじ　なら　みじか
よくあります。

アルバイト募集！
●週３日〜
●高校生不可
●要普通免許

パート募集
●時給 1,000 円
●時間応相談
●交通費全額支給

数字しか
すうじ
わからないよ……

よく使われる表現		
◆ 求人案内 きゅうじんあんない	job information 招聘告示　채용 공고	
◆ アルバイト（＝バイト）、パート	casual job / part-time job 兼職工作 / 非全日制工作　아르바이트 / 파트타임	
◆ 要普通免許 →車の普通運転免許証が必要 ようふつうめんきょ　くるま　ふつううんてんめんきょしょう　ひつよう	A driver's license is required 需要普通駕照 보통운전면허 자격 필요	
◆ 高校生不可 →高校生は応募できない こうこうせいふか　こうこうせい　おうぼ	High school students are not eligible to apply 不接受高中生応聘　고등학생 불가	
◆ 時間応相談 →時間は相談に応じる じかんおうそうだん　じかん　そうだん　おう	Hours are negotiable　工作時間可面議　시간은 상담에 응합니다	
◆ 時給 an hourly rate　毎小時的工資　시간급 じきゅう	◆ 全額支給 full amount paid　全額支付　전액 지급 ぜんがくしきゅう	
◆ 履歴書 a resume / curriculum vitae　履历表　이력서 りれきしょ		

れんしゅう 次の会話文を読んで、後の文から正しいものを選ぼう。 ▶答えは次のページの右下
つぎ　かいわぶん　よ　　あと　ぶん　ただ　　えら　　　　　こた　つぎ　　みぎした

学生A：このバイトの面接、受けようと思うんだけど、どう思う？
がくせい　　　　　　めんせつ　う　　　おも　　　　　　　おも

学生B：時給、なかなかいいね。へえ、曜日も選べるんだ。
がくせい　じきゅう　　　　　　　　　ようび　えら

学生A：うん、この会社、交通費も全部くれるし、電話してみようかな。
がくせい　　　　かいしゃ　こうつうひ　ぜんぶ　　　でんわ

学生B：うん、早くしたほうがいいよ。そうだ、履歴書の用紙、余ってるから
がくせい　　　　はや　　　　　　　　　　　　　　　りれきしょ　ようし　あま
　　　　　あげるよ。

☐1　学生Aは、学生Bにアルバイトをすすめている。
　　　がくせい　　がくせい

☐2　学生Aは、アルバイトの面接に行くつもりである。
　　　がくせい　　　　　　　めんせつ　い

☐3　この会社は、通勤にかかった費用を全部払ってくれる。
　　　かいしゃ　つうきん　　ひよう　ぜんぶはら

☐4　学生Aは、電話して交通費のことを聞くつもりである。
　　　がくせい　　でんわ　こうつうひ　　　き

☐5　学生Bは、履歴書の用紙を余分に持っている。
　　　がくせい　りれきしょ　ようし　よぶん　も

第1週
第2週
第3週
第4週
第5週
第6週

経験不問・やる気のある方(※1) 歓迎！

アルバイト募集

内容	商品の管理
資格(※2)	18歳以上35歳くらいまで
	※高校生不可
時間	9：00〜18：00　または 10：00〜19：00
	※1日5時間以上、週3日以上可能な方（曜日応相談）
時給	1,000円〜1,300円（交通費全額支給）
応募(※3)	電話連絡の上、面接（要履歴書）

スーパーまるみや
TEL. 045 − 486 − XXXX

（※1）やる気のある方：willing workers　有干劲的人　의욕이 있는 분

（※2）資格：qualifications　资格　자격　　　　（※3）応募：application　应聘　응모

問1 この募集に応募できないのはどの場合か。

1　土日だけ働きたい人

2　スーパーで働いたことがない人

3　20歳の大学生

4　車の免許がない人

問2 この求人案内の内容と合っているものはどれか。

1　35歳くらいになったら、時給は 1,300円になる。

2　18歳でも高校生の場合は、応募することができない。

3　この会社は、週に3日しか来られない人は必要ではない。

4　応募するためには、電話をしてから履歴書を送らなければならない。

もんだい（p.19）の答え：問1．**3**　問2．**4**

（左ページの答え→2・3・5）

6日目

募集② Invitation for Applications ②
ぼしゅう 招聘②
모집②

✿ 家やアパートの案内で使われている特別な言葉を覚えよう！
いえ　　　　　　　　　あんない　つか　　　　　　　　　　とくべつ　　ことば　おぼ

Let's look at some special language used in real estate advertisements!
记住租房或公寓的说明里特有的词汇！　집이나 아파트의 안내에 쓰이는 특별한 말을 외워 봅시다！

1K・2LDK・
ワンケー　に エルディーケー
3LDKって
さんエルディーケー
何のこと？
なん

アパート
1K
4.5万円

マンション
2LDK
12万円

マンション
3LDK
20万円

数字は部屋の数で、Kはキッチン
すうじ　へや　かず
Dはダイニング（食事をする部屋）
しょくじ　へや
Lはリビングルームのことです。
読み方に注意しましょう。
よ　かた　ちゅうい

よく使われる表現

◆ マンション	an apartment: well built　公寓、大楼　중고층의 아파트	◆ 一軒家 いっけんや	a house　一栋房　단독 주택
◆ 間取り まどり	a floor plan　房间布局　방의 배치	◆ 6畳 じょう	a 6-tatami mat room　6 个榻榻米大小　다다미 6 장 정도의 방
◆ 和室 わしつ	a Japanese style room　日式房间　다다미（일본식 방）	◆ 洋室 ようしつ	a Western-style room　西式房间　서양식 방

◆ 敷金 しききん　　A one-time payment to the owner when you rent an apartment or house.
租房时，为保证支付房租而预先缴纳的押金。　보증금

◆ 礼金 れいきん　　One time payment to the owner when you rent an apartment or house. In some cases this payment isn't required.　租房时，支付给房东的酬谢金。　사례금

◆ 管理費 かんりひ　　a monthly management fee　物业管理费　관리비　　◆ エアコン　an air-conditioner　空调　에어컨

◆ 専有面積 せんゆうめんせき　　floor space　占地面积　전용 면적　　◆ 築15年 ちくねん　built 15 years ago　房龄 15 年　건물을 세운 지 15 년 됨

◆ ～㎡　　... square meters (㎡) is read as 'heihou meetoru', but it is also often read as 'heebee'.
～平方米（㎡是指「へいほうメートル」，也经常读成「へいべい」。）
～㎡（'m²'는「へいほうメートル」이지만，「へいべい」로 읽을 때가 많다.）

れんしゅう 次の会話文を読んで、後の文から正しいものを選ぼう。　▶答えは次のページの右下
つぎ　かいわぶん　よ　　あと　ぶん　ただ　　　　えら　　　　こた　つぎ　　　　みぎした

妻：このマンションはどう？　駅から徒歩5分って書いてあるし、広さもちょう
つま　　　　　　　　　　　　えき　とほ　ふん　か　　　　　　ひろ

どいいんじゃない？　家賃もそんなに高くないし。
やちん　　　　　たか

夫：そうだね。敷金は3ヵ月分だけれど、礼金はなしって書いてあるし、いいか
おっと　　　　　しききん　　げつぶん　　　　　れいきん　　　　か

もしれないね。でも、本当は一軒家のほうがいいんだけどなあ。
ほんとう　いっけんや

□1　夫婦は住むところをさがしている。
ふうふ　す

□2　夫婦は今、一軒家を見学している。
ふうふ　いま　いっけんや　けんがく

□3　このマンションを借りる場合、敷金は3ヵ月前に払わなければならない。
か　ばあい　しききん　　げつまえ　はら

□4　このマンションを借りる場合、礼金を払わなくてもいい。
か　ばあい　れいきん　はら

□5　夫はマンションより一軒家に住みたいと思っている。
おっと　　　　　　　　いっけんや　す　　　　おも

第1週
第2週
第3週
第4週
第5週
第6週

もんだい 次の募集広告を読んで、後の問いに答えなさい。　▶答えは p.25　🔊 No.06

＊部分翻訳や解説は別冊 p.3

マンション　2K
中央線中野駅徒歩5分

家賃／10万円

敷金／2ヵ月

礼金／なし

管理費／月 4,000 円

専有面積／52.05 ㎡

4 階建て3 階

築 15 年

使いやすい間取り!!
バス・トイレ別　エアコン付
ペット不可

問1　この広告でわからないのはどれか。

1　エアコンがいくつついているか。

2　敷金をいくら払えばいいか。

3　この部屋が何階にあるか。

4　このマンションが何年前に建てられたか。

問2　この広告の内容と合っているものはどれか。

1　毎月払うのは 100,000 円である。

2　敷金は 100,000 円の 2 倍分を払わなければならない。

3　エアコンの代金を払わなければならない。

4　洋室より和室のほうが広い。

もんだい（p.21）の答え：問1. **1**　問2. **2**

（左ページの答え→1・4・5）

お知らせや案内を読もう

月　日（　）

まとめの問題
Summary questions　综合问题　정리 문제

制限時間：15分
1問 25点×4問
答えは p.29
部分翻訳や解説は別冊 p.3

点数
／100

問題1　右のページはビジネスホテルの案内である。これを読んで、下の質問に答えなさい。
答えは、1・2・3・4から最もよいものを一つえらびなさい。

1　この案内の内容と合っているものはどれか。

1　この料金で泊まることができるのは、期間中の平日である。

2　大人1名と8歳の子どもと二人で泊まる場合は、16,000円である。

3　前もって連絡を入れていれば、17:00にチェックインすることができる。

4　一人でこの部屋に泊まる場合は、二人で泊まる場合の40%割引になる。

2　山下さんは妻と二人で東京への旅行を計画している。20XX年2月4日（金）から
2泊でこのプランの予約をしたいと思っている。18時30分東京着の新幹線に乗り、
東京駅に着いてから近くのレストランで食事をし、ホテルに向かうつもりだ。正
しく申し込みをしているのはどれか。

1
☑「チェックイン 18：00 からのお得なプラン」 に申し込みます。
チェックイン日　[20XX年2月 ⬍][4日(金) ⬍]　人数　　大人 [2名 ⬍]
チェックアウト日　[20XX年2月 ⬍][5日(土) ⬍]　チェックイン予定時間 [20時　⬍]ごろ

2
☑「チェックイン 18：00 からのお得なプラン」に申し込みます。
チェックイン日　[20XX年2月 ⬍][4日(金) ⬍]　人数　　大人 [2名 ⬍]
チェックアウト日　[20XX年2月 ⬍][5日(土) ⬍]　チェックイン予定時間 [18時半 ⬍]ごろ

3
☑「チェックイン 18：00 からのお得なプラン」に申し込みます。
チェックイン日　[20XX年2月 ⬍][4日(金) ⬍]　人数　　大人 [2名 ⬍]
チェックアウト日　[20XX年2月 ⬍][6日(日) ⬍]　チェックイン予定時間 [20時　⬍]ごろ

4
☑「チェックイン 18：00 からのお得なプラン」に申し込みます。
チェックイン日　[20XX年2月 ⬍][4日(金) ⬍]　人数　　大人 [2名 ⬍]
チェックアウト日　[20XX年2月 ⬍][6日(日) ⬍]　チェックイン予定時間 [18時半 ⬍]ごろ

～インターネット予約限定(※)～
◎チェックイン 18：00 からのお得なプラン

【期間】20XX 年 01 月 10 日〜 20XX 年 03 月 31 日

★チェックインタイムが 18：00 からの安いお得なプラン！

★お荷物をフロントに預け、ご飯を食べたり、お酒を飲んでからのチェックインにも最適！！

★チェックアウトタイムは 12：00 なので、のんびりできます！

★週末も同料金！

部屋のタイプ：ダブルベッド、バス・トイレ付、禁煙ルーム

料金：1 名 8,000 円（2 名 1 室利用）

　　　　朝食付き

　　　　　＊ 1 名で 1 室利用の場合…12,000 円

　　　　　＊子ども料金…6 歳以下のみ 40％割引

● 18 時以前のチェックインはできませんので、お早めにご到着のお客様は手荷物をフロントにてお預かりいたします。

●チェックイン予定時間を過ぎるとキャンセルとして取り扱われることがございますので、遅れる場合は必ず連絡してください。

ビジネスホテル・ニュー東京イン

東京都中央区○○ 2 − 1　＜東京駅より徒歩 7 分＞

TEL　０３−○○○○−○○○○

URL: http://www.newtokyo-inn.co.jp/

（※）インターネット予約限定：インターネットでの予約だけ

もんだい（p.23）の答え：問 1. **1**　問 2. **2**

問題2 つぎの文書は、高齢者（65歳以上）が暮らす施設のボランティア（※1）を募集するための案内である。読んで、下の質問に答えなさい。答えは1・2・3・4から最もよいものを一つえらびなさい。

🔊))) No.08

ボランティア募集

「やすらぎホーム」ではお年寄りと一緒に遊んだり、
歌を歌って下さるボランティアを募集しています。
ピアノやバイオリンなどの楽器ができる方は特に大歓迎です。
楽器でなくても、なにか特技（※2）があれば、ぜひそれを活用してください。
お年寄りとの話は、興味ぶかく、人生の勉強になることも多いです。
きっとあなたにとっていい体験（※3）になるでしょう。
たくさんのご応募をお待ちしています。

　・高校生以上ならどなたでもＯＫです。
　・月曜日から金曜日（週に何日でもかまいません。）
　・午後１時から５時までの間の可能な２時間ほど

　　　　　　　　やすらぎホーム（たから市民病院となり）
　　　　　　　　０２２０－３８－××××

（※1）ボランティア：社会事業などにお礼の品やお金をもらわずに働く人
（※2）特技：得意なこと　　（※3）体験：実際に自分が経験すること

---

3 この募集の内容と合っているものはどれか。

1　歌だけでなく、楽器もできる音楽家だけを募集している。

2　高校生のボランティアは受け付けていない。

3　高齢者による講演会に参加する人を募集している。

4　曜日や時間は、決まった範囲内で相談して決めることができる。

---

4 何がいい体験になるか。

1　ボランティアを募集すること

2　やすらぎホームに応募すること

3　やすらぎホームでボランティアをすること

4　お年寄りと人生の勉強をすること

第2週
だい　しゅう

身のまわりの文書を読もう
み　　　　　　　ぶんしょ　　よ

Let's read the language you see on a daily basis!
阅读日常生活周遭的文章
주변에서 흔히 볼 수 있는 문서를 읽어 봅시다

身のまわりの文書を読もう

カタログ①

Catalogues ①
目录①
상품 안내서①

✿いちばん強調している点を見つけよう！

Find the key points!　找出特別強調的部分！
가장 강조하고 있는 점을 찾아봅시다！

★ カタログなどでいちばん言いたい点は、大きい文字で書いてあるだけでなく、説明の中に何度も出てきます。

The key points in the catalogues are in a larger font and come up repeatedly in the explanations.
目录中特别想强调的部分，除了用较大文字表示以外，在说明中也会多次出现。
상품 안내서 등에서 가장 강조하고자 하는 점은 큰 글자로 쓰여 있을 뿐만 아니라, 설명 중에도 여러 번 나옵니다.

<table>
<tr><td colspan="4">よく使われる表現</td></tr>
</table>

◆ デザイン	a design	款式	디자인
◆ シンプル	simple	简单	간소하다 혹은 깔끔하다
◆ ベージュ	beige	淡鸵色	연하고 밝은 갈색
◆ 皮製	leather	皮革制	가죽 제품
◆ 追求する	to strive for	追求	추구하다
◆ 軽量	lightweight	分量轻	경량
◆ グレー	grey	灰色	회색
◆ 布製	cloth	布制	천

れんしゅう 次の会話文を読んで、後の文から正しいものを選ぼう。　▶答えは次のページの右下

店員：このバッグはいかがですか。とっても軽いんですよ。

客　：わあ、軽い！　これ革じゃないですよね。

店員：いえ、本革（※1）です。質のいい羊（※2）の革を使っているのでこんなに軽いんです。

客　：へえ、革でこの軽さ。信じられない。

店員：シンプルなデザインで、使いやすいですよ。雑誌も入りますし、内側にポケットが2つ付いていて、本当に便利です。それに、いい色ですし。

客　：ええ、こんな色がほしかったんですよ。じゃあ、これお願いします。

（※1）本革：genuine leather　真皮　진짜 가죽　　（※2）羊：sheep　羊　양

□1　このバッグは本物の革で作られている。

□2　客は革のバッグはほしくなかった。

□3　このバッグは革でできているから軽い。

□4　このバッグの外側のポケットには雑誌が入る。

□5　客はこのバッグを買うことにした。

第1週 / 第2週 / 第3週 / 第4週 / 第5週 / 第6週

革製なのに、（　　　　　　）！
本革軽量バッグ

本当に革なの？　と言いたくなるくらいの軽さです。質のいい羊の革を使って軽さを追求した結果、ここまで軽くなりました。とてもやわらかく、デザインもシンプルなので、どの洋服にも合います。雑誌も楽に入ってとても使いやすいです。

色　：ベージュ・黒
定価：19,800 円

やわらかい羊の革使用！

内側に2か所のポケット！

シンプルなデザイン！

軽い！

問1　（　　　　）の中に入る言葉として最も適当なものはどれか。

1　2万円もしない
2　使いやすいデザイン
3　たためるくらいやわらかい
4　たった 500 グラムの軽さ

問2　このバッグのいちばんの特長はどれか。

1　軽いということ
2　革そっくりのもので作られているということ
3　やわらかいということ
4　デザインがシンプルだということ

まとめの問題（p.24 〜 26）の答え：
問題1　①2　②3　　問題2　③4　④3

（左ページの答え→1・5）

身のまわりの文書を読もう

カタログ②

Catalogues ②
目录②
상품 안내서②

✿ 比較を表す文に注意しよう！

Pay attention to the sentences describing comparisons!
注意比较性文章！　비교를 나타내는 글에 주의합시다！

ぼくのは、
あの子のより大きいよ。

ぼくのほど
大きくないね。

よく使われる表現

◆ AはBより大きい。　　A is bigger than B.　A比B大。　A는 B보다 크다.
◆ BよりAのほうが大きい。　A is bigger than B.　与B相比A较大。　B보다 A 쪽이 크다.
◆ Aが最も（＝いちばん）大きい。　A is the biggest.　A最大。　A가 가장 크다.
◆ BはAほど大きくない。　B is not as big as A.　B没有A那么大。　B는 A 만큼 크지 않다.
◆ BはCに比べて大きい。　B is bigger compared to C.　B比C大。　B는 C에 비해 크다.

◆ サイズ　size　尺寸　사이즈, 크기　　◆ 容量　capacity　容量　용량　　◆ 幅　width　宽度　폭
◆ 奥行き　depth　深度　앞쪽에서 뒤끝까지의 거리 혹은 길이　　◆ 消費電力　electricity consumption　消耗电力　소비전력

れんしゅう 次の会話文を読んで、後の文から正しいものを選ぼう。　▶答えは次のページの右下

> 夫：今度のボーナスで新しい冷蔵庫を買おうか。これは古いし小さいしね。
> 妻：うん、でも、大きいの、ここに入るかしら。
> 夫：大丈夫だよ。最近のは、容量が大きくなっても、サイズはこれと変わらないんだ。
> 　　それに、消費電力も少なくなっているし、電気代があんまりかからなくなるよ。
> 　　いちばん新しいタイプは、去年よりもさらに少なくなったって宣伝してたし。
> 妻：じゃ、そのいちばん新しいのにしましょうよ。

☐1　この夫婦は、電気店で話をしている。
☐2　この夫婦は、冷蔵庫を買い替えたいと思っている。
☐3　この夫婦が今使っている冷蔵庫は、新しい冷蔵庫に比べて電気代がかかる。
☐4　新しい冷蔵庫は物がよく入るが、電気代が高くつく。
☐5　去年の冷蔵庫より今年の冷蔵庫のほうが容量が小さい。

もんだい 下の表は冷蔵庫のカタログの一部である。 ▶答えは p.33 🔊 No.10

後の問いに答えなさい。

＊部分翻訳や解説は別冊 p.4

		容量（L）				幅 （cm）	高さ （cm）	奥行き （cm）	消費電力 （kwh／年）
		全体	冷蔵室	冷凍室	野菜室				
A	AS-33L	330	192	64	74	62.0	160.5	63.9	380
	お年寄りや子どもも手が届く低めサイズ。 整理しやすく使い勝手がよい真ん中冷凍室。								
B	AS-37K	375	232	69	74	55.0	180.0	65.0	360
	狭い空間にもスッキリ収まる！ ニオイを抑える除菌・脱臭機能で食品のおいしさを保ちます。								
C	AS-38K	384	218	80	86	60.0	174.0	65.0	360
	食品のおいしさを逃さない「スピード冷凍」。 新鮮野菜もたっぷり収納。野菜の水分を奪わない「フレッシュ野菜室」。								
D	AS-39M	390	230	82	78	60.0	179.8	60.0	348
	エコ No.1！ 省エネ性能パワーアップ。 キッチンで出っ張らない薄型！ サイズは従来と同じでもたっぷり収納。								

【ご注意】壁との間を左右各2cm、後ろ10cm、上部5cm以上離して設置してください。

問1　上のカタログから次の条件で冷蔵庫を選んだ場合、どれになるか。

・高さ 180cm、幅 65cm のスペースに置くことができる。

・電気代がなるべく安い。

　　1　A　　　　　　　2　B　　　　　　　3　C　　　　　　　4　D

問2　Dの冷蔵庫の特徴として、合っていないものはどれか。

　　1　冷凍庫に入る量が最も多い。

　　2　1年間にかかる電気代が最も安い。

　　3　高さがあるほうだが、Bほどではない。

　　4　ほかの冷蔵庫と比べて厚い。

もんだい（p.29）の答え：問1．4　問2．1

（左ページの答え→2・3）

お知らせ
Notices
通知书
알림장

❀範囲を表す言葉に注意しよう！
はん　い　あらわ　こと　ば　　ちゅう　い

Pay attention to the expressions indicating a range!
注意表示范围的词汇！　　范围を表す表现に注意合す！

これも、今日限りです。
きょうかぎ
これからは自分で
じぶん
捕りに行きなさいね。
と　　い

★ 時間や場所を表す言葉と一緒によく使われます。
じかん　ばしょ　あらわ　こと　ば　いっしょ　　　　つか

Used frequently with expressions of time and place.
经常和表示时间、地点的词汇一起使用。
시간이나 장소를 나타내는 말과 함께 자주 쓰입니다.

よく使われる表現		
◆ ～限りで（＝～までで）	until	到～为止　～까지
◆ ～に限り、～に限って（＝～だけ）	only	只～　～만
◆ ～に限らず（＝～だけでなく）	not only	不仅～　～뿐만 아니라
◆ AからBにかけて（＝AからBまでの範囲で）	within the range from A to B	从A到B的范围里　A에서 B에 걸쳐
◆ ～にわたって（＝～の範囲で）	over a period of time (or space)	～的范围里　～동안 계속되다

れんしゅう 次の会話文を読んで、後の文から正しいものを選ぼう。　▶答えは次のページの右下
つぎ　かいわぶん　よ　　　あと　ぶん　ただ　　　　えら　　　　　　　こた　つぎ　　　みぎした

> 妻：野菜ジュースのサンプル（※1）をもらったんだけど、飲む？
> つま　やさい　　　　　　　　　　　　　　　　　　　　　　の
>
> 夫：「元気な野菜くん」（※2）か。前に飲んだことあるよね。
> おっと　げんき　やさい　　　　　まえ　の
>
> 妻：うん、でもあんまりおいしくなかったのよね。これは改良した（※3）から子ども
> つま　　　　　　　　　　　　　　　　　　　　　　かいりょう　　　　　　　　こ
>
> 　　にも飲みやすいって書いてあるけれど……。
> の　　　　　か
>
> 夫：あ、おいしいよ。これなら、愛子も飲める。栄養になるし、さっそく注文しようか。
> おっと　　　　　　　　　　　あいこ　の　　　えいよう　　　　　　　　ちゅうもん
>
> 妻：うん、でも7月1日に発売らしいから、7月になってから申し込むね。
> つま　　　　　がつ　ついたち　はつばい　　　　　　がつ　　　　　　もう　こ

（※1）サンプル：a sample　样品　상품 견본　　　　（※2）元気な野菜くん：商品の名前
　　　　　　　　　　　　　　　　　　　　　　　　　　　　げんき　やさい　　しょうひん　なまえ

（※3）改良する：to improve　改良　개량하다
かいりょう

☐1　「元気な野菜くん」は野菜ジュースである。
　　　げんき　やさい　　　やさい

☐2　夫も妻も前に「元気な野菜くん」を飲んだことがある。
　　　おっと　つま　まえ　げんき　やさい　　　の

☐3　今、夫が飲んでいる「元気な野菜くん」は買ったものである。
　　　いま　おっと　の　　　　げんき　やさい　　　か

☐4　「元気な野菜くん」は前に飲んだものと同じものである。
　　　げんき　やさい　　　まえ　の　　　　おな

☐5　改良された「元気な野菜くん」はもう発売されている。
　　　かいりょう　　げんき　やさい　　　　はつばい

第1週
第2週
第3週
第4週
第5週
第6週

もんだい 次の文章を読んで、後の問いに答えなさい。 ▶答えは p.35　🔊 No.11

＊部分翻訳や解説は別冊 p.4

「新元気な野菜くん」発売のお知らせ

いつも弊社(※1)の商品をご購入いただきまして、ありがとうございます。

さて、長年(※2)にわたって好評(※3)をいただいている栄養ジュース「元気な野菜くん」ですが、より飲みやすく改良した「新元気な野菜くん」として生まれ変わることになりました。7月1日に発売いたします。今回は、みなさんに飲みやすさを実感して(※4)いただきたいと思い、発売前にサンプルをお届けしました。お値段はそのままで、さらにおいしくなり、大人の方（　　　）お子様にも喜んでいただけると思います。ぜひお試しください。

なお、「新元気な野菜くん」の発売に伴い(※5)、現在の「元気な野菜くん」の販売を6月30日限りで中止いたします。7月1日以降の「元気な野菜くん」のご注文は自動的に(※6)「新元気な野菜くん」になりますのでご注意ください。

カモメ食品株式会社

（※1）弊社：our company　我社、敝社　우리 회사　（※2）長年：a long period of time　长年　오랫동안

（※3）好評：highly regarded　好评　호평

（※4）実感する：to really feel, to genuinely feel　实际感受　실감하다

（※5）〜に伴い：coinciding with　随着〜　〜에 따라　（※6）自動的に：automatically　自动地　자동으로

問1　（　　　）の中に入るものはどれか。

1　に限って　　　　2　に限らず　　　3　限りで　　　　4　に限り

問2　この文章の内容と合っているものはどれか。

1　「新元気な野菜くん」は、使っている野菜が変わり味も変わった。

2　「新元気な野菜くん」は、おいしくなったので注文がたくさん来ている。

3　「新元気な野菜くん」は、6月30日までしか注文できない。

4　「新元気な野菜くん」は、「元気な野菜くん」と同じ値段である。

もんだい (p.31) の答え：問1．**3**　問2．**4**

（左ページの答え→1・2）

身のまわりの文書を読もう

説明書①
せつめいしょ

Explanations ①
说明书①
설명서①

✿注意や禁止を表す表現に注意しよう！
ちゅうい　きんし　あらわ　ひょうげん　ちゅうい

Pay attention to the expressions describing cautions and prohibitions!
注意提醒、禁止等表达方式！　　주의나 금지를 나타내는 표현에 주의합시다！

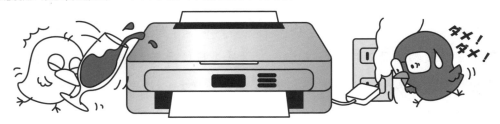

<table>
<tr><td colspan="2">よく使われる表現</td></tr>
</table>

注意・命令 ちゅうい　めいれい		禁止 きんし
～しろ。		～するな。
～しなさい。		～しないで（ください）。
～するように（してください）。	↔	～しないように（してください）。
～すること。		～しないこと。
～しなければならない。		～してはいけない。
～する！		～しない！

れんしゅう 次の会話文を読んで、後の文から正しいものを選ぼう。　▶答えは次のページの右下
つぎ　かいわぶん　よ　　あと　ぶん　ただ　　えら　　　　こた　つぎ　　　みぎした

修理の人：こんなものが中に入っていましたよ。
しゅうり　ひと　　　　なか　はい

男の人　：あ、うちの子のおもちゃだ。だからプリンターが動かなかったんだ。
おとこ　ひと　　　　　　　　　　　　　　　　　　　　　うご

修理の人：ええ、よくあるんですよ。異物（※1）が引っかかると……。
しゅうり　ひと　　　　　　　　　　　いぶつ　　ひ

男の人　：そうですか。よく触っていたから、手をはさんじゃいけないなあと思っ
おとこ　ひと　　　　　　　　　　　さわ　　　　　て　　　　　　　　　　　　　おも

　　　　　ていたんですが、こんなもの入れていたとは……。
　　　　　　　　　　　　　　　　　　　い

修理の人：今度、スイッチを入れているのに動かなかった場合は、危ないですから
しゅうり　ひと　こんど　　　　　　い　　　　　　うご　　　　　ばあい　　あぶ

　　　　　すぐに電源プラグ（※2）を抜いてください。
　　　　　　　でんげん　　　　　　　ぬ

（※1）異物：foreign objects　异物　이물질　　　（※2）電源プラグ：a electric plug　电源插头　전원 플러그
　　　　いぶつ　　　　　　　　　　　　　　　　　　　　　　　　　でんげん

☐１　プリンターの機械に問題が起きた。
　　　　　　　　きかい　もんだい　お

☐２　子どもが手をはさんで、けがをした。
　　　こ　　　て

☐３　男の人は、子どもが機械におもちゃを入れたのを見ていた。
　　　おとこ　ひと　　こ　　　　きかい　　　　　　い　　　　　み

☐４　変なものが中に入っていたので機械が動かなくなった。
　　　へん　　　なか　はい　　　　　　きかい　うご

☐５　機械に異常があった場合は、電源プラグを抜くべきである。
　　　きかい　いじょう　　　ばあい　でんげん　　　ぬ

もんだい 次の文章は、商品についての注意書きである。 ▶答えは p.37 🔊 No.12
読んで、後の問いに答えなさい。 ＊部分翻訳や解説は別冊 p.4 ～ 5

❗ ご注意——安全のために必ずお守りください。

万一異常が発生した(※1)ときは、電源プラグをすぐ抜くこと！

・不安定な場所には置かないでください。

・必ず室内(※2)でご使用ください。

・異物を入れないでください。（特にお子様にご注意！）

・花びんやコップ、植木鉢などを上に置かないでください。（ぬらさない！）

・手をはさまないように注意してください。

・５年に一度は内部(※3)の掃除を販売店に依頼するようにしてください。

・本製品(※4)は、日本国内専用です。

（※１）発生する：to occur/arise　発生　발생하다　（※２）室内：inside the room　室内　실내

（※３）内部：internal / inside　内部　내부　（※４）本製品：this product　本产品　본 제품

問1 この注意書きと内容が合っているものはどれか。

　１　子どもがいる場所では電源を切ったほうがいい。

　２　庭や車の中では使ってはいけない。

　３　ぬれないように注意すれば花びんなどを置いてよい。

　４　内部の掃除は家庭でもできる。

問2 日本国内専用ですとあるが、どういうことを言いたいのか。

　１　日本の中の特別な場所でしか使用できない。

　２　日本の専門家が特別な技術で作ったものだ。

　３　日本の中でしか使用できない。

　４　日本で作られたものだが、国外でも使えるかもしれない。

もんだい（p.33）の答え：問１．**2**　問２．**4**　　　　　（左ページの答え→１・４・５）

第2週

5日目

身のまわりの文書を読もう

説明書②
せつめいしょ

Explanations ②
说明书②
설명서②

✿条件を表す言葉に注意しよう！
じょうけん　あらわ　ことば　ちゅうい

Pay attention to conditional sentences!
注意表示条件的词汇！　　조건을 나타내는 말에 주의합시다！

このカゴ、返品してー！
へんぴん

★ 返品や保証期間内の修理にはいろいろな条件が
へんぴん　ほしょうきかんない　しゅうり　　　　　　　　　　じょうけん
あるので、注意しましょう。
ちゅうい

Read carefully the conditions related to returns and repairs that are covered by the warranty.
注意退货、保修期内的修理有各种条件。
반품이나 보증 기간 내의 수리에는 여러 가지 조건이 있으므로 주의합시다.

よく使われる表現

◆ Aすれば B
◆ Aすると B
◆ Aしたら B

（＝ Aという条件では
じょうけん
Bという結果になる）
けっか

Under condition A, B will be the result
A 的条件，造成 B 的结果
A의 조건일 경우에는 B라는 결과가 된다

◆ オペレーター　an operator　话务员　전화 교환 상담원　　◆ 通信販売　mail order purchase　函售　통신판매
つうしんはんばい

◆ 返品　returned goods　退货　반품
へんぴん

れんしゅう 次の会話文を読んで、後の文から正しいものを選ぼう。　▶答えは次のページの右下
つぎ　かいわぶん　よ　　あと　ぶん　ただ　　　　　えら　　　　　こた　つぎ　　　　みぎした

オペレーター：はい、ヨコタデパート通信販売の商品返品係です。
つうしんはんばい　しょうひんへんぴんがかり

女の人　　　：あのー、送ってもらったセーターなんですけど……、色が気に入
おんな　ひと　　　　　　　　おく　　　　　　　　　　　　　　　いろ　き　い
らなくて……。そんな場合にも返品できるんでしょうか。
ばあい　へんぴん

オペレーター：はい、商品が到着してから7日以内で、ご使用になっていなければ、
しょうひん　とうちゃく　　　　　なのかいない　　　しよう
返品をお受けいたします。別のお色に交換ということもできますが。
へんぴん　う　　　　べつ　いろ　こうかん

女の人　　　：いえ、返品ということでお願いします。
おんな　ひと　　　へんぴん　　　　　　　ねが

☐1　女の人は通信販売でセーターを注文した。
おんな　ひと　つうしんはんばい　　　　　　ちゅうもん

☐2　注文したものと違うセーターが来た。
ちゅうもん　　　　　ちが　　　　　　き

☐3　女の人は違う色のセーターと交換したい。
おんな　ひと　ちが　いろ　　　　　こうかん

☐4　商品が到着して1週間たっていない。
しょうひん　とうちゃく　　しゅうかん

☐5　女の人は、セーターを何回か着た。
おんな　ひと　　　　　　　なんかい　き

もんだい 次の文書を読んで、後の問いに答えなさい。　▶答えは p.39　🔊)) No.13

＊部分翻訳や解説は別冊 p.5

第1週　**第2週**　第3週　第4週　第5週　第6週

交換・返品について

● 商品到着後７日以内にご返送いただければ、交換・返品をお受けいたします。

● 交換・返品ができない場合については裏面(※1)をよくお読みください。

● 下の返品カードにご記入の上、商品といっしょにお送りください。

－－－－－－－－－－－－－－－ 切り取り線 －－－－－－－－－－－－－－－

返品カード

返品理由で当てはまるものを選び、アルファベットに○をつけてください。

　　a．イメージが違った。

　　b．使用感(※2)・機能が期待していたものと違った。

　　c．サイズが合わなかった。

　　d．注文と違う商品が届いた。

　　e．商品に傷、あるいは汚れがあった。

　　f．その他 ＿＿＿＿＿＿＿＿＿＿＿＿＿＿＿

　　　　＊fの場合は簡単に理由をお書きください。

（※1）裏面：the reverse side　背面　뒷면　　　（※2）使用感：one's impression of something after trying it out; wear (from being used)　使用感　사용할 때의 만족감

問1　左ページの会話の女の人は、返品カードのどこに○をつければよいか。

　　1 a　　　　　　2 b　　　　　　3 c　　　　　　4 d

問2　返品できないのは、どの場合か。

　　1　商品を手に入れてから１週間を過ぎた場合

　　2　注文したものではない商品が来た場合

　　3　注文したものが想像していたものと違った場合

　　4　注文したものが小さすぎた場合

もんだい (p.35) の答え：問1．**2**　問2．**3**　　　　　　　　（左ページの答え→1・4）

第2週 身のまわりの文書を読もう

6日目 保証書 Warranties 保证书 보증서

学習日　月　日（　）

❀重要な部分だけ読もう！ Just read the important points! 只阅读重要部分！　중요한 부분만을 읽어 봅시다！

こんな小さな字、読みたくない！

そこに大事なことが書いてあったりするよ！

田中デンキ
お買い上げ日　20XX/5/1

◆ 保証期間内	within the term of the warranty 保修期内　보증 기간 내	◆ 空欄	empty (not filled in) 空白处　빈칸
◆ 販売店名	name of the store at which the goods were purchased 销售店名　판매점 이름	◆ 記載	written (in this document) 记载　기재
◆ お買い上げ日	the date of purchase　购买日　구입한 날	◆ サイン	signature　签名　서명
◆ はんこ／印	a seal / stamp　印章 / 印　도장 / 인		
◆ たとえ…でも	even if　即使…也　예를 들어…일지라도	◆ 万が一…でも	if by any chance 万一…也　만일…일지라도

れんしゅう 次の会話文を読んで、後の文から正しいものを選ぼう。 ▶答えは次のページの右下

妻：やっぱり、このコーヒーメーカー（※）壊れてる。

夫：修理に出そうよ。保証書あるよね？

妻：うん、たしか買ったのは今年だから、まだ保証期間内だよね。えーと……、保証書、これだよね？

夫：ちょっと見せて。あー、お買い上げ日も販売店名のところも空欄だ。これだと役に立たないよ。修理代かかっちゃうけれど、しかたがないね。

（※）コーヒーメーカー：a coffee maker　咖啡机　커피메이커

□1　夫婦は、このコーヒーメーカーの保証書を持っている。

□2　保証書にはこのコーヒーメーカーを買った店のはんこが押してある。

□3　このコーヒーメーカーの保証書は有効である。

□4　このコーヒーメーカーの修理は有料になるだろう。

□5　夫婦はこのコーヒーメーカーを修理に出さないことにした。

もんだい 下の保証書を読んで、後の問いに答えなさい。 ▶答えは p.41 🔊)) No.14
した ほしょうしょ よ あと と こた こた

※ 部分翻訳や解説は別冊 p.5
ぶぶんほんやく かいせつ べっさつ

第1週

第2週

第3週

第4週

第5週

第6週

ヤマノ コーヒーメーカー保証書
ほ しょうしょ

型 名 かためい	D J - B 3 3 0	製造番号 せいぞうばんごう	0 1 2 5 K

お客様 きゃくさま	お名前 なまえ	様 さま	電話番号 でんわばんごう	
	ご住所 じゅうしょ			

お買い上げ日★ か あ び	年 月 日 ねん がつ にち	販売店★ はんばいてん	店名 てんめい 住所 じゅうしょ	
保 証 期 間 ほ しょう きかん	お買い上げ日より **1年間** か あ び ねんかん		電話番号 でんわばんごう	㊞ またはサイン

●この保証書は、記載の内容で無料修理を行うことをお約束するものです。
ほしょうしょ きさい ないよう むりょうしゅうり おこな やくそく

●★はお買い上げいただいた販売店が記入する欄です。
か あ はんばいてん きにゅう らん

●（　　　　　　　　）次の場合には有料修理になります。
つぎ ばあい ゆうりょうしゅうり

・不適切なご使用による故障
ふてきせつ しよう こしょう

・一般家庭（国内）用以外に使用された場合の故障
いっぱんかてい こくない よういがい しよう ばあい こしょう

・★欄に記入のない場合
らん きにゅう ばあい

問1 （　　　　）の中に入る言葉として最も適当なものはどれか。
なか はい ことば もっと てきとう

1　たとえ保証期間以降でも
ほしょうきかんいこう

2　たとえ保証期間以上でも
ほしょうきかんいじょう

3　たとえ保証期間内でも
ほしょうきかんない

4　たとえ保証期間外でも
ほしょうきかんがい

問2　無料で修理をしてくれるのはどの場合か。
むりょう しゅうり ばあい

1　保証書に全部記入されていて、買って1年以内に故障した場合
ほしょうしょ ぜんぶ きにゅう か ねんいない こしょう ばあい

2　保証書に全部記入されていて、海外で3ヵ月間使用した場合
ほしょうしょ ぜんぶ きにゅう かいがい げつかんしよう ばあい

3　保証期間を過ぎているが、正しく使用していた場合
ほしょうきかん す ただ しよう ばあい

4　★欄を含めて保証書を全部自分で記入した場合
らん ふく ほしょうしょ ぜんぶ じぶん きにゅう ばあい

もんだい（p.37）の答え：問1．1　問2．1
こた

（左ページの答え→1・4）
ひだり こた

身のまわりの文書を読もう

月　日（　）

まとめの問題

Summary questions　綜合問題　정리 문제

制限時間：15分
1問25点×4問
答えは p.45

点数
／100

部分翻訳や解説は別冊 p.5～6

問題1　右のページは、ある地域のごみの出し方について書かれたものである。これを読んで
下の質問に答えなさい。答えは、1・2・3・4から最もよいものを一つえらびなさい。

1　この地域のごみの出し方で、合っているものはどれか。

1　ペットボトルは、「容器包装プラスチックごみ」として出す。

2　割れていないガラスのコップは、ペットボトルと同じ日に出す。

3　プラスチックでできているおもちゃは、「燃やすごみ」として出す。

4　小さい冷蔵庫は、第2土曜日か第4土曜日に「燃やせないごみ」として出す。

2　山下町の住民はだれか。

【Aさん】今日は、新聞と雑誌を古紙としてたくさん出しました。ビールの缶もたく
さんたまっているので、明日忘れないように出すつもりです。

【Bさん】私の地域では、プラスチックのごみは、週に2回捨てることができますが、
スプレー缶は、月に2回しか捨てることができません。

【Cさん】昨日、こわれたかさ、割れた花びん、革のバッグをごみに出しました。
それから、使わない古いアイロンも捨てました。

【Dさん】私は、びん・缶は洗って、「びん・缶の日」に出していますが、コンビニ
のお弁当の容器や洗剤のボトルは、洗わずに「燃やすごみ」として出して
います。

1　Aさん

2　Bさん

3　Cさん

4　Dさん

みどり市「資源・ごみの正しい分け方・出し方」

山下町の収集日

～指定曜日（※1）の朝8時までにお出しください。～

	古紙	ペットボトル	容器包装プラスチック（※2）
資源 週1回 水曜日	新聞・雑誌、本、ノート、紙パック、ダンボールなど。 ＊種類別にひもでしばってください。	水ですすいでください。キャップとラベルは「容器包装プラスチック」へ。 PET	ラップ・ポリ袋・ボトル（シャンプーのボトルなど）、トレイ、カップ、ふた（ペットボトルのキャップも含む）など。 ＊よごれがとれないものは「燃やすごみ」へ。 プラ
	びん・缶 ピン・カン		スプレー缶・カセットボンベ・乾電池
	水ですすいでください。		プラスチックのキャップは「容器包装プラスチック」へ。 ＊スプレー缶・カセットボンベはなるべく使い切って出してください。

燃やすごみ 週2回 月曜日・木曜日	生ごみ（水を切る）、紙くず、衣類、紙おむつ、ゴム・革製品、容器包装プラスチック以外のプラスチック製品（ボールペン、CD、歯ブラシ、プラスチックのおもちゃ、バッグ、靴など）
燃やせないごみ 月2回 第2・4火曜日	金属、陶器、ガラス、小型家電製品（皿、はさみ、アイロン、かさ、電球、ライターなど） ＊割れたガラス・陶器などは、紙で包み、「危険」と書いてください。
粗大ごみ （有料）	家庭から出る家具・ベッド・自転車など一辺の長さが30cm以上のごみは「粗大ごみ受付センター」にお申し込みください。 ➡インターネット　https://sodaigomi.midori.…… ➡ Tel. XXX-XXX-XXXX
大型家電	家庭用のエアコン・テレビ・パソコン・冷蔵庫・洗濯機などは「家電リサイクル受付センター」にお申し込みください。 ＊新しく購入する場合は、販売店にお問い合わせください。 ➡インターネット　https://kaden.midori.…… ➡ Tel. XXX-XXX-XXXX

（※1）指定曜日：決められた曜日
（※2）容器包装プラスチック：商品を入れたり、包んでいるプラスチックのこと

もんだい（p.39）の答え：問1. **3**　問2. **1**

問題2 つぎの文書は、薬の注意書きである。下の質問に答えなさい。答えは、１・２・３・４から最もよいものを一つえらびなさい。

🔊 No.16

胃腸薬「スッキリン」使用上の(※1)注意

１．次の人は服用(※2)しないでください。
- 妊婦(※3)または妊娠(※4)していると思われる人
- 11 歳未満の子ども

２．次の場合は、すぐに服用を中止してください。
- 服用後、皮膚にかゆみ(※5)などの変化があらわれた場合
- ２週間以上服用してもよくならない場合

３．服用後しばらくの間は、乗り物または機械類の運転操作をしないでください。

４．使用期限を過ぎた製品は服用しないでください。

（※1）使用上の：使用する場合の   （※2）服用：薬を飲むこと
（※3）妊婦：おなかの中に子どもがいる女性
（※4）妊娠：おなかの中に子どもができること   （※5）かゆみ：かゆい感覚

---

3 この薬はなんの薬か。

1　乗り物に酔わないようにする薬

2　かゆみを止める薬

3　頭の痛みをやわらげる薬

4　胃や腸の調子をよくする薬

---

4 この注意書きと内容が合っているものはどれか。

1　11 歳の子どもは、この薬を飲んではいけない。

2　この薬は２週間以上飲まないと、よくならない。

3　この薬を飲んでからしばらくの間は、車の運転をしてはいけない。

4　使用期限を過ぎていなければ、２週間以上この薬を飲んでもよい。

通信文を読もう
つうしんぶん　　　よ

Let's read letters and messages!
阅读通讯文章
통신문을 읽어 봅시다

通信文を読もう

メール①

E-mail ①
电子邮件①
전자 메일①

✿「あげる」「くれる」「もらう」を表す敬語に注意しよう！

Pay attention to polite language meaning 'あげる', 'くれる', or 'もらう'!
注意敬语「あげる」、「くれる」、「もらう」的表达方式！　「ーに주다」「ー가주다」「ー로부터받다」를 나타내는 존경어에 주의합시다！

★尊敬語は聞き手や話題の人、謙譲語は話し手の行為などに対して使います。丁寧語は聞き手に対して敬意を表して使います。

Honorific language is used to refer to the actions, etc. of the person who is being spoken to, or of the person who is the topic of the conversation. Humble language is used when the speaker refers to his or her own actions, etc.. Polite language is used to show politeness towards the person to whom one is speaking.
尊敬语是针对听者、话题中的人物所使用；自谦语是针对说话人的行为等所使用；礼貌语是对听者表示敬意所使用。
존경어는 듣는 사람이나 화제의 인물을, 겸양어는 말하는 사람의 행위에 대해 사용합니다. 정중한 말은 듣는 사람에 대해 존경을 나타내는 표현입니다.

よく使われる表現

◆ あげる／〜てあげる　　→さしあげる／〜てさしあげる（謙譲語）

◆ くれる／〜てくれる　　→くださる／〜てくださる（尊敬語）

◆ もらう／〜てもらう　　→いただく／〜ていただく（謙譲語）

　　　　　　　　　　　　（＊「いただく」には「食べる」という意味もある）

れんしゅう 次の会話文を読んで、後の文から正しいものを選ぼう。　▶答えは次のページの右下

> めぐみ　：お母様、お友達がりんごを送ってくれたので少し持ってまいりました。
>
> 夫の母　：あら、あの青森の方でしょ？　台風はどうだったのかしら。
>
> めぐみ　：ええ、私も心配していたんですけれど、大丈夫だったみたいですよ。あの、
>
> 　　　　　これ、すごくおいしいですよ。お母様、もっと召し上がれる（※）ようなら
>
> 　　　　　また持ってきますので、おっしゃってくださいね。
>
> 夫の母　：そうねえ、お隣にも差し上げようかしら。お世話になっているから。

（※）召し上がる：to eat (polite form)　吃（尊敬语）　드시다

☐1　めぐみは夫の母と一緒に住んでいる。

☐2　めぐみの友達は青森に住んでいる。

☐3　青森に今台風が来ている。

☐4　めぐみの友だちは病気だった。

☐5　夫の母はりんごを隣の人にあげたい。

ありがとうございました。

高橋めぐみ 〈megumi@black.abc-net.com〉
To　田中ゆり 〈yuri_ta@lemon.ask-net.ne.jp〉

田中 ゆり様

お久しぶりです。先ほど、宅配便(※1)を受け取りました。

りんごをたくさん送ってくださってありがとうございました。

実は先日、台風が青森に上陸した(※2)というニュースを見て、「田中さんの家の

ほうは大丈夫かしら」と家族で話していたのです。でも、①安心しました。

大きくてりっぱなりんごですね。箱を開ける前から、とてもいいにおいがして

きました。さっそく、ひとつ（　②　）のですが、本当においしくて、田中さ

んの「元気ですよ」という声が伝わってくるようでした。真紀も明日の遠足に

持っていって友だちにもあげるんだ、と大喜びです。

主人の母や妹の家にも分けて、みんなで楽しもうと思っています。

本当にありがとうございました。

高橋 めぐみ

（※1）宅配便：a courier service　宅急送　택배　　　　（※2）上陸する：to land　登陆　상륙하다

問1　①安心しましたとあるが、なぜか。

　1　台風が青森には来なかったから。

　2　田中さんは台風の被害を受けなかったようだから。

　3　りんごが多かったから。

　4　りんごがりっぱでおいしかったから。

問2　（　②　）に入る言葉として最も適当なものはどれか。

　1　くださった　　2　めしあがった　　3　さしあげた　　4　いただいた

まとめの問題 (p.40〜42) の答え：
問題1　1 3　2 4　　問題2　3 4　4 3

（左ページの答え→2・5）

通信文を読もう

メール②

E-mail ②
电子邮件②
전자 메일②

✿依頼を表す表現に注意しよう！
（いらい　あらわ　ひょうげん　ちゅうい）

Pay attention to the expressions for making requests!
注意表示请求的表达方式！
의뢰를 나타내는 표현에 주의합시다！

あの子にこれを
渡してよ！
（わた）

あの子に
これを渡して
いただけませんか？
（こ）（わた）

よく使われる表現

◆ 〜てください。

◆ 〜てくれませんか。

◆ 〜てもらえませんか。

◆ 〜くださいませんか。

ていねい ◆ 〜ていただけませんか。〜ていただきませんか。

＊ これらはすべて同じ意味で、「お願い」を
表します。
（おな　いみ　　　　　　　　　おねが）
（あらわ）
These expressions all have the same meaning.
They are used when making a request.
这些都是相同的意思，表示「请求」。
이러한 것들은 모두 같은 의미로「부탁」을 나타냅니다.

れんしゅう 次の会話文を読んで、後の文から正しいものを選ぼう。　▶答えは次のページの右下
（つぎ　かいわぶん　よ　　　あと　ぶん　ただ　　　　　えら）　　　（こた　つぎ　　　　みぎした）

Ａさん：ねえ、同窓会^{（※1）}のウェブサイト^{（※2）}を作る話だけど、私たちでやらない？
　　　　　（どうそうかい）　　　　　　　　　　　　（つく　はなし　　　わたし）

Ｂさん：いいね。写真とか入れると、パーティーに来られなかった人にも当日の
　　　　　（しゃしん　い）　　　　　　　　　　　　（こ）　　　　　（ひと　　　とうじつ）

　　　　ようすが伝えられるしね。でも、私たちにできるかな。
　　　　　　　（つた）　　　　　　　　　　（わたし）

Ａさん：簡単だよ。いろんなソフト^{（※3）}があるから結構きれいなものができるよ。
　　　　　（かんたん）　　　　　　　　　　　　　　　（けっこう）

Ｂさん：そっか。あ、山本先生がスマホでたくさん写真撮っていらっしゃったよね。
　　　　　　　　　　（やまもとせんせい）　　　　　　　（しゃしん　と）

　　　　先生にお願いして写真を送ってもらおうよ。
　　　　（せんせい　ねが　　　しゃしん　おく）

（※1）同窓会：an alumni association　同学会　동창회　（※2）ウェブサイト：website　网站　웹사이트
　　　（どうそうかい）

（※3）ソフト：software　软件　소프트웨어

☐1　ＡさんとＢさんは写真入りのウェブサイトを作りたい。
　　　　　　　　　　　　（しゃしん　い）　　　　　　　（つく）

☐2　ソフトを使ったのできれいなウェブサイトができた。
　　　　　　（つか）

☐3　山本先生は同窓会に出席した。
　　　（やまもとせんせい　どうそうかい　しゅっせき）

☐4　山本先生はスマホでウェブサイト用の写真を撮っていた。
　　　（やまもとせんせい）　　　　　　　（よう　しゃしん　と）

☐5　Ｂさんは山本先生に写真を撮ってほしいと思っている。
　　　　　　　（やまもとせんせい　しゃしん　と　　　　　おも）

お願い

近藤美香 〈mika@apple.coolmail.com〉
To　山本先生 〈yamamoto1222@white.abc-net.ne.jp〉

山本先生、近藤（旧姓(※1) 竹下）美香です。

先日の同窓会では、15年ぶりに(※2)先生にお会いできて、本当に楽しかったです。

先生はちっともお変わりなく(※3)、高校生に戻ったような気がしました。

ところで、今日はお願いがあってメールいたしました。

あのパーティー会場で、私たちのクラスのウェブサイトを作ろうという話が出たのを覚えていらっしゃいますか。実は、私と木村（旧姓 吉本）さんが中心となって作ろうと思っています。それで、山本先生が会場で撮っていらっしゃった写真を使わせて（　　　　　）。もしよろしければ、メールに添付(※4)して送ってくださると助かります(※5)。

同窓会に来られなかった人にも見てもらえますし、私たちにも思い出となりますので、ご面倒をおかけしますがどうぞよろしくお願いいたします。

近藤　美香

（※1）旧姓：a birth name, previous name　原来的姓　구성（결혼 전의 성）

（※2）15年ぶりに：for the first time in 15 years　15年没见　15년 만에

（※3）先生はちっともお変わりなく：you haven't changed a bit　老师还是一点都没变　선생님은 조금도 변함이 없으시고

（※4）添付：an attachment　附上　첨부

（※5）〜と助かります：be a great help　希望您能〜　〜해 주시면 도움이 되겠습니다

問1　（　　　）に入る言葉として最も適当なものはどれか。

　1　あげましょうか　　　　　2　いただきましょうか

　3　くださいましょうか　　　4　いただけませんでしょうか

問2　近藤さんはなぜ山本先生にこのメールを書いたのか。

　1　同窓会で楽しかったことを伝えたいから。
　2　ウェブサイトを作ることを知らせたいから。
　3　山本先生に写真を送ってもらいたいから。
　4　山本先生にまた同窓会に来てもらいたいから。

もんだい（p.45）の答え：問1．**2**　問2．**4**

（左ページの答え→1・3）

通信文を読もう

手紙・はがき①

Letters / Postcards ①
信件、明信片①
편지・엽서①

✿「します」「です」を表す敬語や手紙の形式に慣れよう！

Get used to the polite language using 'します' and 'です' and the letter format!
习惯敬语「します」、「です」的表达以及书信的形式！　「ー합니다」「ー입니다」를 나타내는 존경어와 편지의 형식을 익혀 봅시다！

○○の季節となりま・・・	・・・始めのあいさつ：	季節のあいさつ、相手の健康をたずねる文
した *************		最近の自分のこと　など
さて、*************	・・・本文：「さて」「ところで」「さっそくですが」などで始まることが多い。
*****************		
では、お元気で。・・・・・・	・・・終わりのあいさつ：	相手の健康を願うことばや
		感謝のことば　など

> 先生、元気ですか。
> また連絡します。

もっとていねいに
書いたほうが
いいよ。

よく使われる表現

	尊敬語	謙譲語（丁寧語）
◆ します	→ なさいます	いたします
◆ ～ています	→ ～ていらっしゃいます	～ております
◆ ～です	→ （お／ご）～でいらっしゃいます（～でございます）	

れんしゅう 次の会話文を読んで、後の文から正しいものを選ぼう。　▶答えは次のページの右下

> 母： 明、由美ちゃんって覚えてる？　去年の夏、一緒にザリガニ（※1）とりに行った
> 　り、花火をしたりした子。
>
> 明： ああ、ザリガニ見て泣いたあの子？
>
> 母： そうそう、またお盆休み（※2）に来るんだって。今度は赤ちゃんも一緒よ。健一
> 　君っていうのよ。あの由美ちゃんがお姉ちゃんになったのよ。
>
> 明： ふーん、あんなに小さくてもお姉ちゃんかぁ。

（※1）ザリガニ：a crayfish　小龙虾　가재

（※2）お盆休み：お盆の時期（だいたい8月12日から15日ごろ）の休み

　□1　由美は明より年上である。

　□2　明と由美は去年の夏、一緒に遊んだ。

　□3　由美は健一の妹である。

　□4　明は去年の夏、健一に会った。

　□5　由美はザリガニをこわがった。

もんだい 次の手紙を読んで、後の問いに答えなさい。　▶答えは p.51　🔊 No.19

※部分翻訳や解説は別冊 p.7

毎日暑い日が続いておりますが、みなさまその後、（ ① ）。良くなられて本当によかったです。お母様が退院なさったそうですね。こちらも、おかげさまでみんな（ ② ）。

去年の今ごろは、大きなおなかを抱えてふうふう言っていた（※1）私ですが、今は早くも（※2）歩き出した健一の後を追いかけるのに忙しく、やはりふうふう言っています。

ところで、お盆には一家そろって実家へ帰る予定です。またそちらのほうにもお伺いしたいと思っていますが、ご都合はいかがでしょうか。美は明君に遊んでもらったことをよく覚えていて、由「お兄ちゃんと花火するんだ。」と楽しみにしています。実家（※3）より、またご連絡いたします。では、まだまだこれからが夏本番（※4）です。どうかみなさまお体に気をつけてお過ごしください。

七月十日

松田 ゆき 様

中村 まり

（※1）ふうふう言う：to puff and pant　气喘吁吁的　숨을 헐떡이며 힘들어 하다

（※2）早くも：quickly/already　早就　벌써　　（※3）実家：parents' home, family home　老家、娘家　친정

（※4）夏本番：real summer, the really hot weather　盛夏　본격적인 여름

問1　（ ① ）（ ② ）に入る言葉の組み合わせで最も適当なものはどれか。

1　①お元気でおりますか　　　　　　②元気でございます

2　①お元気でいらっしゃいますか　　②元気にしております

3　①お元気でなさいますか　　　　　②元気にしております

4　①お元気でいらっしゃいますか　　②元気にいたしてございます

問2　中村さんは何のためにこの手紙を書いたのか。

1　季節のあいさつをするため。

2　松田さんの家族の健康状態を聞くため。

3　赤ちゃんが生まれたことを知らせるため。

4　お盆に実家に帰ることを松田さんに知らせるため。

もんだい（p.47）の答え：問1．4　問2．3

（左ページの答え→2・5）

 suspce4

通信文を読もう

手紙・はがき②

Letters / Postcards ②
信件、明信片②
편지・엽서②

学習日　　月　　日（　）

❀特別な敬語を覚えよう！―「行く」「来る」「いる」

Let's learn some special polite language!
记住特殊的敬语！　특별한 존경어를 익혀 봅시다！

……ご家族で、どうぞお越しください。

じゃ、みんなで行こう！

★不特定多数の社会人に出す手紙やはがきは、ふつう敬語で書きます。
Polite language is used in formal letters and postcards sent to multiple recipients.
写信或寄明信片给多数不特定对象的社会人士时，一般使用敬语。
불특정 다수 사회인에게 보내는 편지나 엽서에는, 보통 존경어로 씁니다.

よく使われる表現

		尊敬語		謙譲語（丁寧語）
◆ 行きます	→	いらっしゃいます	おいでになります	参ります
◆ 来ます	→	いらっしゃいます　お越しになります	おいでになります　見えます	参ります
◆ います	→	いらっしゃいます	おいでになります	おります

れんしゅう 次の会話文を読んで、後の文から正しいものを選ぼう。　▶答えは次のページの右下

夫：桜、あと2週間くらいかかるかな。うちは庭が狭くて木なんて植えられないけど、裏が立派な公園で本当によかったね。この窓からの眺めは最高だし。

妻：そうだ。大学時代の友だちに家に来てもらったらどう？　転居通知（※1）出すときに、誘ったらいいんじゃない？

夫：そうだね。家は新築（※2）といっても大したことはない（※3）けど、ここから花見ができるしね。何人くらい来るかなあ。

（※1）転居通知：a notification of a change of address　搬家通知　이전 통지
（※2）新築：a new house　新建　신축
（※3）大したことはない：nothing special　没有什么了不起　그다지 대단한 것은 없다

☐1　この夫婦の庭に桜の木がある。
☐2　今、この夫婦は公園を散歩している。
☐3　この夫婦は、最近この家に引っ越した。
☐4　この夫婦は引っ越しを知らせるはがきを出す予定である。
☐5　桜は2週間前に咲き始めた。

第1週 第2週 第3週 第4週 第5週 第6週

拝啓(※1)　このところ、毎日暖かい日が続いていますが、皆様、いかがお過ごしでしょうか。

　さて、このたび、去年より建築中だった家がやっと完成し、下記の住所へ引っ越しました。平凡な家ですが、すぐ裏が桜で有名な野川公園で、窓からの眺めはかなり気に入っております。つきましては(※2)、皆様にもぜひ見ていただきたく、わが家で花見の会を開くことにいたしました。これを機会に(※3)東都大学野球部同期生(※4)で集まりませんか。3月30日(日)のお昼ごろお待ちしておりますので、ぜひお越しください。

　なお、電車でいらっしゃる場合には駅まで迎えに参ります。お車でおいでになる場合は公園の駐車場をご利用ください。ご連絡お待ちしています。

敬具(※5)

〒155-XXXX 三鷹市○町 3-32-20
TEL&FAX：042-333-XXXX
E-mail：masaotani@XXXX.ne.jp

谷　正雄

（※1）拝啓：
始めのことば
「拝啓」・「前略」
など

（※2）つきましては：
therefore
因此　그런고로

（※3）これを機会に：
take this opportunity
借此机会　이것을 기회로

（※4）同期生：
those who entered a school/company in the same year
同届同学　동기생

（※5）敬具：
終わりのことば
「敬具」・「草々」
など

問1　谷さんはなぜこのはがきを出したのか。

1　新しい家が気に入っていることを知らせたいから。
2　もうすぐ家が完成するということを知らせたいから。
3　野川公園を一緒に散歩したいから。
4　新しい家に招待したいから。

問2　おいでになるのは、だれか。

1　谷さんの先生　　2　谷さんの上司　　3　谷さんの友人　　4　谷さんの親せき

もんだい（p.49）の答え：問1．**2**　問2．**4**

（左ページの答え→3・4）

通信文を読もう

手紙・はがき③

Letters / Postcards ③
信件、明信片③
편지・엽서③

✿特別な敬語を覚えよう！ ―「言う」「見る」「食べる」など

Let's look at some special polite language!
记住特殊的敬语！　특별한 존경어를 외워 봅시다！

どうぞ
お召し上がりください

よく使われる表現		尊敬語	謙譲語（丁寧語）
	◆ 言います	→ おっしゃいます	申します
	◆ 見ます	→ ご覧になります	拝見します
	◆ 食べます 飲みます	→ 召し上がります	いただきます
	◆ 知っています	→ ご存じです	存じております
	◆ 知りません	→ ご存じではありません	存じません
	◆ 訪問します 聞きます	→ ご訪問になります お聞きになります	伺います
	◆ 会います	→ お会いになります	お目にかかります

れんしゅう 次の会話文を読んで、後の文から正しいものを選ぼう。　▶答えは次のページの右下

近所の人：あら、陽子ちゃん、腕どうしたの？

陽子の母：転んじゃってすりむいた（※1）の。大きい犬にほえられてね。

近所の人：あらー、それはびっくりしたでしょうね。

陽子の母：ええ、この子、「あ、ワンワン（※2）だー」って言って近寄っていったの。

　　　　　そうしたら、犬が驚いたらしくって……。

近所の人：あら、そう。でも大したことがなくて（※3）よかったわね。

（※1）すりむく：to scrape　蹭破　찰과상을 입다

（※2）ワンワン：baby language for 'dog' (bow wow)　汪汪　멍멍이 (개를 가리키는 어린이말)

（※3）大したことがない：not serious　还好不要紧　큰 일이 없다

　□1　陽子は犬が嫌いだった。

　□2　陽子は犬を驚かせようと思って近づいた。

　□3　陽子のけがは軽かった。

　□4　陽子にほえた犬は陽子の家の犬ではない。

　□5　犬は陽子をかんだ。

第1週　第2週　**第3週**　第4週　第5週　第6週

山本様
やまもとさま

　先日は、わが家の犬がほえたことで、お嬢様におけがをさせてしまいまして、本当に申し訳ございませんでした。深くおわび申し上げます。

　ふだんはおとなしい犬なのですが、あの時はどういうわけか（※1）興奮して（※2）いたようです。決して攻撃すると

いうことはないのですが、何しろ声が大きいもので、お嬢様がびっくりなさったのも当然です（※3）。転んだときにお頭を打たれたのではないかと心配しましたが、腕のすり傷（※4）だけで、それももうよくなられたということでほっといたしました。でも、歩き始めたばかりの小さいお子さまに怖い思いをさせてしまったこと、本当に申し訳なく思っております。

　今後は、こういうことのないように注意いたしますので、どうかお許しくださいますようお願い申し上げます。

林 幸男
はやし ゆきお

追伸（※5）
ついしん
別便で（※6）、クッキーをお送りいたしました。おやつのときにでも、お召し上がりください。
べつびん

（※1）どういうわけか：理由はわからないが　　（※2）興奮する：to get excited　兴奋　흥분하다
　　　　　　　　　　　　　　りゆう　　　　　　　　　　　　　　　こうふん

（※3）当然だ：naturally, it's only natural that ...　理所当然　당연하다
　　　とうぜん

（※4）すり傷：a scratch　擦伤　찰과상　　　（※5）追伸：P.S. (postscript)　再启　추신
　　　きず　　　　　　　　　　　　　　　　　　　　ついしん

（※6）別便で：by separate mail　另函　별도 우편으로
　　　べつびん

問1　犬にほえられて女の子はどうなったのか。
　　　　いぬ　　　　　　おんな　こ

　　1　転んで頭を打った。　　　　　2　興奮して大きい声で泣いた。
　　　　ころ　あたま　う　　　　　　　　こうふん　おお　こえ　な

　　3　転んで腕に軽いけがをした。　4　びっくりしたが、すぐに歩き始めた。
　　　　ころ　うで　かる　　　　　　　　　　　　　　　　　　　　ある　はじ

問2　この手紙からわかることはどれか。
　　　　てがみ

　　1　山本さんの子どもは、クッキーを喜んで食べた。
　　　　やまもと　こ　　　　　　　　よろこ　た

　　2　林幸男さんの犬は、だれにでもよくほえる犬である。
　　　　はやしゆきお　いぬ　　　　　　　　　　　いぬ

　　3　山本さんの子どもは、林さんの犬にほえられて、犬が嫌いになった。
　　　　やまもと　こ　　　　　はやし　いぬ　　　　　　　いぬ　きら

　　4　林幸男さんは、山本さんの子どものけがが大したことがなくて安心した。
　　　　はやしゆきお　　　やまもと　こ　　　　　　たい　　　　　　　あんしん

もんだい（p.51）の答え：問1. **4**　問2. **3**

（左ページの答え→3・4）
　ひだり　こた

ビジネスレター

Fax (Business Letter)
传真（商务信件）
팩스（비즈니스 레터）

✿「〜したい」「〜してもらいたい」ときの敬語に注意しよう！

Pay attention to polite language indicating your desire to do things, and polite language used to ask others to do things for you!
注意使用「想做〜」、「想〜帮（我）」时的敬语！　「〜하고 싶다」,「〜해 받고 싶다」의 존경어에 주의합시다！

あのー、今日は、早く帰らせていただけませんでしょうか。
〜

★仕事での支払いの催促などについては、遠回しでていねいな表現を使います。

Indirect and polite language is used in business for soliciting payments.
关于工作上的催款，使用委婉且有礼貌的表达方式。
일 관계의 대금 지급의 재촉 등은, 간접적이고 정중한 표현을 사용합니다.

よく使われる表現

| 〜したいとき | ◆ 〜（さ）せていただけませんか。
◆ 〜（さ）せてください。
◆ 〜（さ）せていただきます。 | 〜してもらいたいとき | ◆ お／ご〜いただけませんか。
◆ お／ご〜願えませんか。 |

＊「〜させていただきます」は相手の許可を必要としないときや、待てないときに使います。

'〜させていただきます' is used when permission isn't required, or when there isn't time to wait for permission to be granted.
「〜させていただきます」在不需要对方的许可或等不了的情况时使用。
「〜させていただきます」는 상대의 허가가 필요하지 않을 때나 허가를 기다릴 수 없을 때 사용합니다.

れんしゅう 次の会話文を読んで、後の文から正しいものを選ぼう。　▶答えは次のページの右下

> 男の人：もしもし、こちらフジ旅行社の黒川と申しますが、中井まい様はいらっ
> しゃいますでしょうか。
>
> 女の人：はい、私ですが……。
>
> 男の人：あのー、12月23日にご出発の旅行代金をまだお振り込み（※1）いただい
> ていないようですが……。
>
> 女の人：あっ、すみません。すぐ振り込みます。えーと、いくらでしたっけ？
> あのー、書類なくしちゃったみたいで、口座番号（※2）もわからなくて……。

（※1）振り込み：a money transfer　汇入　납부 혹은 입금

（※2）口座番号：an account number　银行账号　계좌 번호

□1　女の人は、旅行に行く予定である。

□2　女の人は、フジ旅行社に旅行を申し込んでいた。

□3　女の人は、12月23日に旅行代金を払うことにしていた。

□4　女の人は、フジ旅行社から旅行についての書類をもらわなかった。

□5　女の人は、旅行代金を払うつもりはなかった。

代金未納の件(※1)

フジ旅行社　黒川真一〈shkurokawa@ftb.co.jp〉

To　中井まい〈my-nakai@e-net.ne.jp〉

日時：20XX 年 12 月 2 日　15：41

中井まい　様

いつもご利用いただき、ありがとうございます。

先ほど、お電話でお話しした件ですが、お申し込みいただいた旅行代金が未納(※2)

になっております。請求書の控え(※3)をメールに添付させていただきますので、

金額をご確認の上、指定の口座にお振り込みいただきますようお願い申し上げます。

なお、お振り込み期限は 12 月 8 日とさせていただきます。

フジ旅行社　黒川　真一

（※1）〜件：subject / regarding　关于〜事宜　~건　　（※2）未納：not yet paid　未缴　미납

（※3）請求書の控え：a copy of the invoice　帐单的副本　청구서의 복사본

問1　中井さんがしなければならないことは何か。

　　1　12 月 8 日までに代金を振り込む。

　　2　請求書の控えを田中さんに送る。

　　3　12 月 8 日に代金を振り込む。

　　4　旅行社に電話をする。

問2　このメールの内容について正しいものはどれか。

　　1　旅行代金に変更があった。

　　2　旅行代金を申込者に知らせていなかった。

　　3　旅行代金の請求書の控えを送った。

　　4　旅行代金の支払方法は決まっていない。

もんだい（p.53）の答え：問1．**3**　問2．**4**　　　　　　　　　　（左ページの答え→1・2）

まとめの問題

Summary questions　综合问题　정리 문제

問題1 つぎのメールの文章を読んで、下の質問に答えなさい。答えは、1・2・3・4から最もよいものを一つえらびなさい。

🔊 No.23

件名：（　　　　　）

武田健一 〈k-takeda@takaracity.jp〉

To　中村進先生 〈s_nakamura@XXX.ne.jp〉

日時：20XX 年3月10日　11：12

中村　進　先生

ごぶさたしております。たから市役所市民生活課の武田です。

昨年の講演の際には、大変お世話になりました。先生の講演はとても評判がよく、次回もぜひという声が多く上がっております。つきましては、本年もまたお願いいたしたく、ご連絡申し上げました。

場所は昨年と同じく、たから市民会館ホール、日時は5月3日午後3時よりを予定しておりますが、先生のご都合はいかがでしょうか。今回は「50歳からの生き方について」という内容でお願いしたいと思います。

よろしくご検討くださいますよう（※）お願い申し上げます。

たから市役所市民生活課

武田健一

k-takeda@takaracity.jp

tel. 012-345-6789

（※）ご検討くださいますよう：考えていただくように

1 件名の（　　　　）に入る言葉として最も適当なものはどれか。

　　1　講演のお願い

　　2　講演のお礼

　　3　講演スケジュールの変更

　　4　講演内容の確認

2 この文章の内容と合っているものはどれか。

　　1　中村先生は武田さんに会ったことがない。

　　2　中村先生は、前にたから市で講演をしたことがある。

　　3　今回の講演の内容は、前回と同じである。

　　4　中村先生は、ぜひまた、たから市で講演をしたいと思っている。

もんだい (p.55) の答え：問1．1　問2．3

問題2 つぎの文書を読んで、質問に答えなさい。答えは、1・2・3・4から最もよいもの
を一つえらびなさい。

🔊 No.24

20XX 年8月3日

高橋 光一様

株式会社ＧＴＳ
カスタマーサービス
木村 健

　先日お買い上げいただいたノートパソコンの画面(※1)に問題がありご迷惑をお
かけいたしまして、大変申し訳ございませんでした。ご返品(※2)いただいたもの
を調べましたところ、ライトがうまく作動して(※3)いなかったことで画面が暗く
見にくかったということでした。早速、修理いたしまして別便でお送りさせて
いただきました。今後は二度とこのようなことが起きないよう製品のチェック
を強化いたします。本当に申し訳ございませんでした。なお、おわびの印(※4)と
して商品割引券を同封させて(※5)いただきました。お使いいただければ幸いです。

（※1）画面：（この場合）文字が現れる部分　　（※2）返品：買った品物を返すこと
（※3）作動する：機械などが動く　（※4）おわびの印：「すみません」という気持ちを表した品物
（※5）同封する：手紙の中にいっしょに入れる

3 この手紙は何を伝えるために書かれたか。

1　おわびの印を別に送ることを知らせるため。
2　製品のチェックをすることを知らせるため。
3　ノートパソコンの画面が暗かったことを伝えるため。
4　ノートパソコンを修理して送ったことを伝えるため。

4 この手紙を読んでわかることはどれか。

1　高橋さんは株式会社 GTS のノートパソコンを買ったことを後悔している。
2　高橋さんのノートパソコンは、ライトに問題があった。
3　ノートパソコンは、画面が暗くて見にくいという問題がよく起きる。
4　株式会社 GTS は製品チェックをしないでノートパソコンを売っていた。

第**4**週
だい　　　しゅう

新聞を読もう
しんぶん　　よ

Let's read newspapers!
阅读报纸
신문을 읽어 봅시다

新聞を読もう

見出し
みだ
Headlines
标题
표제어

✿見出しによく使われる省略形に注意しよう！
みだ　　　　　つか　　　　　　しょうりゃくけい　　ちゅうい

Pay attention to the ways in which the headline sentences are commonly shortened!
注意标题中经常出现的省略形式！　　表题语에 흔히 쓰이는 생략형에 주의합시다！

今夏最多73地点で猛暑日
こんか さいた　　　　ちてん　　　もうしょび

＝今年の夏、最多の73地点で猛暑日（最高気温が35℃以上の暑い日）になった。
ことし　なつ　さいた　　　ちてん　もうしょび　　さいこうきおん　　　いじょう　あつ　ひ

ゴルフ　全英オープン 米無名選手優勝
ぜんえい　　べいむめいせんしゅゆうしょう

＝ゴルフの全英オープン（The Open Championship）でアメリカの有名ではない選手が優勝した。
ぜんえい　　　　　　　　　　　　　　　　　　　　　ゆうめい　　　　　せんしゅ　ゆうしょう

★このように新聞の見出しは、短く、完全な文章の形をしていないこと
しんぶん　みだ　　みじか　かんぜん　ぶんしょう　かたち
が多いです。見出しを読んだだけで記事の内容がだいたいわかります。
おお　　　　みだ　　よ　　　　　　きじ　ないよう

Newspaper headlines tend to be short, incomplete sentences. You can guess what the article is about by looking at the headlines.
报纸中经常出现类似这样简短、不使用完整的文章形式表述的标题。只看标题就能大概了解新闻报导的内容。
이처럼 신문의 표제어는 짧거나, 완전한 문장 형태를 보이지 않는 경우가 많습니다. 표제어만 읽어도 기사 내용의 요지를 알 수 있습니다.

れんしゅう 次の会話文を読んで、後の文から正しいものを選ぼう。　▶答えは次のページの右下
つぎ　かいわぶん　よ　　　あと　ぶん　ただ　　　　えら　　　　　　こた　つぎ　　　　みぎした

Ａさん：ねえ、この体育館、暑くない？
たいいくかん　あつ

Ｂさん：うん、暑い。窓を閉め切って（※1）いるし、こんなに人が多いから仕方な
あつ　　まど　し　き　　　　　　　　　　　　　ひと　おお　　　　しかた
いよね。でも、窓を開けたら焦げ臭くって息できないよ。だって、あの
まど　あ　　　こ　くさ　　　いき
大きいタイヤ工場が焼けたんだから。ほかの避難所（※2）はもっと混んで
おお　　　　　こうじょう　や　　　　　　　　ひなんじょ　　　　　　　こ
いるらしいよ。

Ａさん：早く家に帰りたい。
はや　いえ　かえ

Ｂさん：火事もおさまってきている（※3）みたいだし、明日になったら帰れるよ。
かじ　　　　　　　　　　　　　　　　　　　あした　　　　　　かえ

（※1）閉め切る：to keep shut　关闭　완전히 모두 닫다　　（※2）避難所：an emergency shelter/refuge　避难所　피난소
し　き　　　　　　　　　　　　　　　　　　　　　　　　　　　　　ひなんじょ

（※3）火事がおさまってきている：the fire is under control　火灾被扑灭　화재가 거의 진압되고 있다
かじ

□1　ＡさんとＢさんは今自宅にいない。
いまじたく

□2　体育館は寒いので、窓を閉め切っている。
たいいくかん　さむ　　　　まど　し　き

□3　臭いのは、タイヤが焼けたせいである。
くさ　　　　　　　　　　や

□4　体育館に避難している人は少ない。
たいいくかん　ひなん　　　　　ひと　すく

□5　火事はどんどん広がりそうである。
かじ　　　　　　　ひろ

もんだい 次の新聞記事を読んで、後の問いに答えなさい。　▶答えは p.63　🔊 No.25

＊部分翻訳や解説は別冊 p.9

避難場所

窓閉め切り眠れぬ一夜

タイヤ工場火災

八日に起きた栃木県のタイヤ工場の火災は、九日朝になって、ようやく鎮火した(※1)。避難指示解除(※2)が伝えられ、避難場所の体育館から自宅に戻った付近の住民は、一様に(※3)「ほっとした」と話していたが、一晩眠れなかったようで疲れた表情をしていた。……

（※1）鎮火する：to be extinguished　扑灭火灾　불이 꺼지다

（※2）避難指示解除：lift of the evacuation order　解除避难指示　피난 지시 해제

（※3）一様に：all　异口同声　한결같이

問1　この記事からわからないことはどれか。

1　火事の起きた時間

2　火事の場所

3　避難場所

4　付近住民のようす

問2　この記事の内容と合っているものはどれか。

1　タイヤ工場の火事の音がうるさく、住民は眠れなかった。

2　タイヤ工場の火事のせいで、窓を閉めなければならなかった。

3　避難していた住民は、体育館で寝ることができて安心した。

4　避難していた住民は、夜のうちに自宅に帰ることができた。

まとめの問題（p.56 ～ 58）の答え：
問題1　①1　②2　　問題2　③4　④2

（左ページの答え→1・3）

新聞を読もう

グラフ①
Graph ①
图表①
그래프①

✿グラフの説明によく出てくる言葉を覚えよう！①

Let's learn some expressions that are commonly used as labels on graphs! ①
记住图表中经常出现的说明词汇！①　그래프의 설명에 자주 쓰이는 말을 익혀 봅시다！①

体重が急激に
増えました。

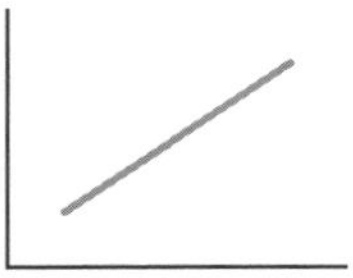

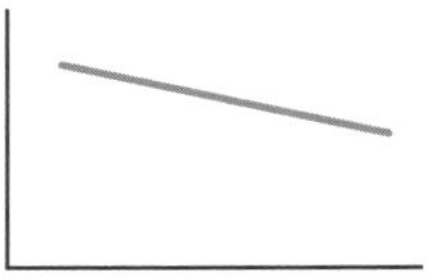

体重が徐々に
減りました。

よく使われる表現			
◆ 増える／増加する	to increase 増（＝増加）늘다 / 증가한다	◆ 減る／減少する	to decrease 減（＝減少）줄다 / 감소하다
◆ 徐々に	gradually 渐渐地　서서히	◆ 急激に	suddenly/rapidly 急剧地　급격하게
◆ 伸び	an increase/growth 伸展、成长　증가 , 성장	◆ （～％／～円 など）に達する	to reach ... % / yen 达到（～％／～日元等）（～% / ～엔 등）에 이르다
◆ 一定	constant (remains the same) 一定　일정	◆ ～のみ	（＝だけ）

れんしゅう 次の会話文を読んで、後の文から正しいものを選ぼう。　▶答えは次のページの右下

Aさん：日本の輸入額（※1）、68兆円（※2）もあるそうですよ。
Bさん：いろいろなものを輸入していますからね。やっぱり、アメリカからの輸入がいちばん多いんでしょうね。
Aさん：いや、中国がトップです。輸出も2008年までの約50年はアメリカが1位でしたが、その後、中国とアメリカが何度か入れ替わって……。我が国は、中国については輸出より輸入のほうが多いですね。

（※1）輸入額：import (monetary value)　进口额　수입액
（※2）68兆円＝ 68,000,000,000,000 円（2020年）

☐ 1　日本で最も輸出額が多いのは、アメリカである。
☐ 2　日本で最も輸入額が多いのは、アメリカである。
☐ 3　日本で最も輸出額が多いのは、中国である。
☐ 4　日本の中国への輸出額は輸入額より多い。
☐ 5　日本の中国への輸出額は輸入額より少ない。

もんだい 次の文章は、日本の輸出額と輸入額について述べたものである。
読んで、後の問いに答えなさい。　　▶答えは p.65　　🔊 No.26

＊部分翻訳や解説は別冊 p.9

> 日本の主な貿易相手国は中国、アメリカ、韓国、台湾などです。輸入額・輸出額とも中国がトップで、輸入額は 17.5 兆円に達しています。アメリカはその半分以下です。輸出額では中国とアメリカの差はさほど大きくありませんが、台湾や韓国は中国の3割程度です。ほとんどの国は輸入額より輸出額のほうが多いですが、中国のみ輸入額のほうが多くなっています。

問　次のグラフからこの文章に合うものを選びなさい。

日本の相手先別輸出入額（2020 年）

■＝輸出　■＝輸入

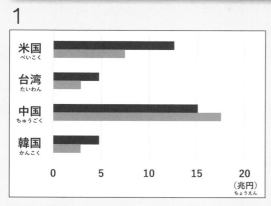

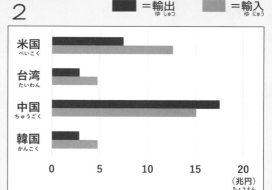

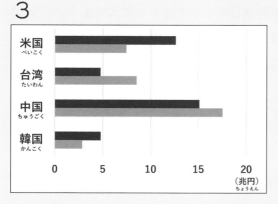

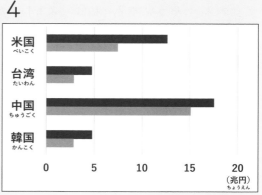

（資料：財務省「貿易統計」）

もんだい（p.61）の答え：問1. **1**　問2. **2**

（左ページの答え→3・5）

新聞を読もう

グラフ②

Graph ②
图表②
그래프②

✿グラフの説明によく出てくる言葉を覚えよう！②

Let's learn some expressions that are commonly used as labels on graphs! ②
记住图表中经常出现的说明词汇！　②　　그래프의 설명에 자주 쓰이는 말을 익혀 봅시다！②

　ボクの1日は
寝ている時間が
大半を占めている。
 睡眠（すいみん）
 勉強（べんきょう）
　ボクの一日は
勉強が大半を
占めています。

★グラフが2つ以上あるときはどこが違うかよく見比べてみましょう。

Where there are two or more graphs, compare them carefully to find the difference!
复数图表出现时，注意比较有哪些地方不同。　그래프가 2개 이상일 때는 어디가 다른지 잘 보고 비교해 봅시다．

<table>
<tr><td rowspan="6">よく使われる表現</td></tr>
<tr><td>◆ ～の3倍（ばい）</td><td>three times (x3)
～的3倍　～의 3 배</td><td>◆ ～の3分の1（ぶん）</td><td>one third (÷3)
～的三分之一　～의 3 분의 1</td></tr>
<tr><td>◆ 割合（わりあい）</td><td>a proportion/ratio　比率　비율</td><td>◆ ～率（りつ）</td><td>rate/ratio　～率　～율</td></tr>
<tr><td>◆ 大半を占める（たいはん し）</td><td colspan="3">to represent the majority / be in the majority
占了大半　대부분을 차지하다</td></tr>
</table>

れんしゅう 次の会話文を読んで、後の文から正しいものを選ぼう。　▶答えは次のページの右下

女の人：あら、ごはんそんなに残しちゃって……。具合でも悪いの？

男の人：いや、体はどこも悪くないんだけど、食欲がなくて。きっとストレスの
せいだと思うんだ。最近、仕事があんまりうまくいってないから。

女の人：そうなの？　私は、ストレスがあると食べすぎちゃって太るから、いやに
なっちゃう。一度、体重が増えると元に戻らないし。

男の人：いいなあ、おれ、体重も減っちゃったよ。

女の人：あら、それはあんまり良くないんじゃない？　無理しても食べたほうが
いいよ。でも、それより、ストレスを解消する（※）ことを考えなきゃ。

（※）ストレスを解消する（かいしょう）：to reduce stress (relax)　消除紧张和压力　스트레스를 해소하다

□1　男の人は、病気で食事の量が減っている。

□2　男の人は、ストレスのせいで病気になった。

□3　女の人は、ストレスがあっても食欲は減らない。

□4　女の人は、ストレスがあると体重が増える。

□5　男の人のストレスは、体重が減ったことが原因である。

もんだい 下のグラフを見て、後の問いに答えなさい。 ▶答えは p.67

＊部分翻訳や解説は別冊 p.9

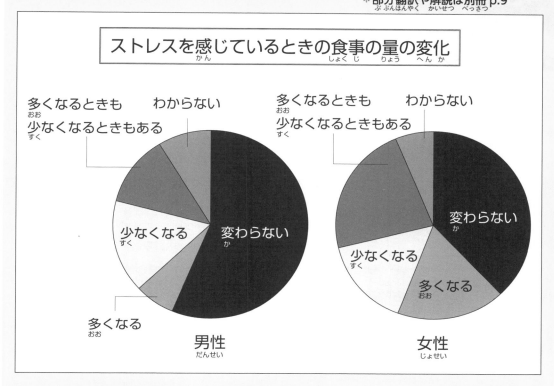

問 グラフの説明として正しいものはどれか。

1　ストレスを感じているとき、女性で食事の量に変化があると回答した人は、「変わらない」「わからない」と回答した人の約3分の1である。女性で「少なくなる」と答えた人の割合は男性よりずっと多い。

2　ストレスを感じているとき、女性で食事の量に変化があると回答した人は、「変わらない」と「わからない」と回答した人の約3分の1である。女性で「多くなる」と答えた人の割合は男性よりずっと多い。

3　ストレスを感じているとき、女性で食事の量に変化があると回答した人は、全体の半数以上である。女性で「少なくなる」と答えた人の割合は男性よりずっと多い。

4　ストレスを感じているとき、女性で食事の量に変化があると回答した人は、全体の半数以上である。女性で「多くなる」と答えた人の割合は男性よりずっと多い。

もんだい (p.63) の答え：問. **1**

（左ページの答え→3・4）

第4周：閲読報紙／제 4 주：신문을 읽어 봅시다　**65**

新聞を読もう

広告①
こうこく

Advertisements ①
广告①
광고①

✿ 必要な情報をさがそう！
ひつよう　じょうほう

Find the necessary information!
寻找需要的信息！　필요한 정보를 찾아봅시다！

京都の寺めぐり
きょうと　てら

10,000円！
えん

大人1泊2食付
おとな　ぱく　しょくつき

3歳以下無料
さいいか　むりょう
9/5～17は…

ホテル京都
きょうと

電話番号○○-○○○○
でんわばんごう

3歳以下無料…
さいいかむりょう

ボクは何歳？
なんさい

★ 必要な情報が小さく書かれているかもしれないので
ひつよう　じょうほう　ちい　か
注意しましょう。
ちゅうい

Pay attention to the necessary information which might be in small print.
注意需要的信息有可能会写得比较小。
필요한 정보가 작은 글씨로 쓰여 있을지도 모르니, 주의를 기울여 봅시다.

よく使われる表現

◆ **2食付き** しょくつ	2 meals included 附兩餐　2번의 식사 제공	◆ **3歳以下** さいいか	3 years old and under 3岁以下　3살 이하
◆ **食べ放題** た　ほうだい	all-you-can-eat　无限量畅食　뷔페	◆ **飲み放題** の　ほうだい	all-you-can-drink 无限量畅饮　음료수에 한해서 뷔페식
◆ **2,000円増し** えんま	an extra 2,000 yen 加价 2000 日元　2,000 엔 추가	◆ **〜名** めい	（＝〜人） にん
◆ **消費税込み** しょうひぜいこ	consumption tax included 包含消费税　소비세 포함	◆ **サービス料込み** りょうこ	service charge included 包含服务费　서비스료 포함
◆ **なんと**	an expression of surprise - loosely translates as "Wow! Look at this!" 竟然　놀랍게도	◆ **ただし**	however / provided that 不过　단

れんしゅう 次の会話文を読んで、後の文から正しいものを選ぼう。 ▶答えは次のページの右下
つぎ　かいわぶん　よ　あと　ぶん　ただ　えら　こた　つぎ　みぎした

妻：ねえ、この新聞の広告見て。今度の休みに行かない？
つま　しんぶん　こうこくみ　こんど　やす　い

夫：どれどれ……うーん、まだ暑いのに温泉旅行かぁ。
おっと　あつ　おんせんりょこう

妻：いいじゃない。安いんだもん。2食付きで8,000円だよ。3歳以下は無料だ
つま　やす　しょくつ　えん　さいいか　むりょう

から菜々の分はかからないし。それに、おすしが食べ放題だって！
なな　ぶん　た　ほうだい

夫：うーん、すしねえ。あ、9月8日は2,000円増しって書いてあるよ。という
おっと　がつようか　えんま　か

ことは、1人1泊で1万円になる。この旅館、安くないと思うけど。
ひとり　ぱく　まんえん　りょかん　やす　おも

- □1　夫は、温泉旅行をしたがっている。
おっと　おんせんりょこう

- □2　この広告には1泊2食付きで8,000円と書いてある。
こうこく　ぱく　しょくつ　えん　か

- □3　菜々の分も少しだけ払わなければならない。
なな　ぶん　すこ　はら

- □4　妻はすしの食べ放題には興味がない。
つま　た　ほうだい　きょうみ

- □5　9月8日の場合、1人につき2,000円ずつ多くなる。
がつようか　ばあい　ひとり　えん　おお

もんだい 次の広告を見て、後の問いに答えなさい。 ▶答えは p.69　　◀)) No.27
＊部分翻訳や解説は別冊 p.9

第1週　第2週　第3週　第4週　第5週　第6週

くりこま高原 天然の温泉

なんと
土曜日も同料金！

すし食べ放題!! 8,000円
（消費税・サービス料込み）

お一人様1泊2食付
ただし大人1室2名様以上でご利用の場合

★ 9月7日、8日は 2,000円増し

★ 小学生以下のお子様半額　3歳以下無料

ふじ旅館 （全室和室）0551-33-XXXX

東京予約センター TEL 03-3333-XXXX

問1 9月8日に夫婦2人と3歳の子ども1人で行く場合、1泊いくらになるか。

1　16,000円
2　20,000円
3　22,000円
4　25,000円

問2 この広告で値段がわからないのはどれか。

1　ひとつの部屋に大人1人で泊まる場合
2　家族3人がすしを2人前ずつ食べた場合
3　9月7日に大人2人と小学生の子ども2人で行く場合
4　土曜日に大人2人と2歳の子ども1人で行く場合

もんだい（p.65）の答え：問．4

（左ページの答え→2・5）

新聞を読もう

広告②
こうこく

Advertisements ②
广告②
광고②

❀ 情報の違いを正確に読もう！
じょうほう　ちが　　せいかく　　よ

Try to notice the details in the fine print!
准确把握信息的不同之处！　　정보의 차이를 정확히 읽어 봅시다！

△△会話スクール
かいわ

英語
えいご

フランス語
ご

スペイン語
ご

中国語
ちゅうごくご

・英語
　えいご

・フランス語
　ご

・イタリア語
　ご

・韓国語
　かんこくご

○○会話学院
かいわがくいん

トリの国の言葉、
くに　ことば
教えましょうか？
おし

ピピピ　チチチ

★同じ種類の広告は、どれも同じような情報が書いてある場合があります。情報の違いに
おな　しゅるい　こうこく　　　　　　おな　　　　　　じょうほう　か　　　　　　ばあい　　　　　　　　　　じょうほう　ちが
注意しましょう。
ちゅうい

The same types of advertisement often contain similar information. Note the details in the fine print.
同种类的广告可能大多提供类似的信息，请注意信息的不同之处。
같은 종류의 광고는, 모두 비슷한 정보가 쓰여 있는 경우가 있습니다. 정보의 차이에 주의를 기울여 봅시다！

れんしゅう 次の会話文を読んで、後の文から正しいものを選ぼう。　▶答えは次のページの右下
つぎ　かいわぶん　よ　　　あと　ぶん　　ただ　　　　　　えら　　　　　　　　　　　こた　　つぎ　　　　　　　みぎした

夫：引っ越しのことだけどさ、この「らくらくコース」っていうのにしようか。
おっと　ひ　こ

　　荷造り（※1）も、荷ほどき（※2）も、全部やってくれるんだって。楽だろうね。
　　にづく　　　　　に　　　　　　　ぜんぶ　　　　　　　　　　　　　　らく

妻：楽には違いないけど、高いよ、そのコースは。うちは無理ね。
つま　らく　　ちが　　　　　たか　　　　　　　　　　　　　　むり

夫：じゃ、「標準（※3）コース」か「節約（※4）コース」にして……あ、もっと安いコー
おっと　　　ひょうじゅん　　　　　　　　　せつやく　　　　　　　　　　　　　　　　　　やす
　　スもあるよ。さっそく見積もり（※5）に来てもらおうよ。でも、ここだけじゃな
　　　　　　　　　　　　みつ　　　　　　き
　　くて、ほかにも頼もうか。だって見積もりはどこでもただだからね。
　　　　　　　たの　　　　　　　　みつ

（※1）荷造り：packing 捆包家具什物 짐 포장, 짐을 꾸림　　（※2）荷ほどき：unpacking 解开家具什物等包裹 짐 풀기
　　　にづく　　　　　　　　　　　　　　　　　　　　　　　　　　　　に

（※3）標準：standard 标准　표준　　　　　　　　　　　　（※4）節約：thrift 节约　절약
　　　ひょうじゅん　　　　　　　　　　　　　　　　　　　　　　　せつやく

（※5）見積もり：a quote/estimate (of cost)　估价　견적
　　　みつ

☐1　この夫婦は、新しい家についての話をしている。
　　　　ふうふ　あたら　いえ　　　　　　はなし

☐2　この夫婦は、引っ越し料金が安いコースを探している。
　　　　ふうふ　ひ　こ　りょうきん　やす　　　　　　さが

☐3　「らくらくコース」は、楽に引っ越しできるコースという意味である。
　　　　　　　　　　　　　　らく　ひ　こ　　　　　　　　　　　いみ

☐4　「標準コース」より「らくらくコース」のほうが安い。
　　　ひょうじゅん　　　　　　　　　　　　　　　　やす

☐5　この夫婦は、今見ている広告の会社に引っ越しを頼むことに決めた。
　　　　ふうふ　いまみ　こうこく　かいしゃ　ひ　こ　たの　　　　　　き

もんだい 次の文章を読んで、後の問いに答えなさい。　▶答えは p.71　🔊 No.28

＊部分翻訳や解説は別冊 p.9 ～ 10

> 引っ越しなんて初めて、という方も大丈夫！「安心」「安全」「早い」「安い」をお約束します。基本の「標準コース」に加え、「らくらく引っ越しコース」や「節約コース」などさまざまなコースからお選びいただけます。ダンボール（※1）は大小合わせて 50 個まで無料です。今なら、お見積もりをお申し込みの方にプレゼントをご用意して（※2）おります。もちろんお見積もりは無料です。今すぐお電話を！

（※1）ダンボール（箱）：a cardboard box　瓦楞纸板（箱）　이사용 골판지 상자

（※2）用意する：to prepare, provide with　准备　준비하다

問　上の文章に合った引っ越し業者の広告はどれか。

1

0154
サンキュー引越サービス

- ●早く！　安く！　安心！
- ●いろいろなコースをご用意
- ●ダンボール 50 個までサービス
　（大小 2 種類あり）

見積無料！
まずお電話を

お見積もりで
お花をプレゼント！

サンキュー引越サービス
TEL 0120-XX-0154

2

まかせて安心！
モリの引っ越し！

とにかく安くて早い！

選べる 2 つのコースあり（見積無料）

大小ダンボール 50 個まで無料

モリ引越センター
TEL 0120-**XX-4115**

3

お引っ越しなら

安い！　はやい！　ていねい！

- ◆5 つのコースがあります
- ◆ダンボール無料
　（大 50 個小 50 個まで）

ラビット引っ越しセンター
TEL 0120-XX-5555

見積無料！

4

ヤスイ引越センター

安い
引越

お見積もりいただいた方に

時計をプレゼント

大 50 個、小 50 個の
ダンボールが無料
見積無料

Tel. 0120-XX-**1515**

もんだい（p.67）の答え：問1. **2**　問2. **1**

（左ページの答え→2・3）

新聞を読もう

まんが
Comics and Cartoons
漫画
만화

✿たとえを表す表現に注意しよう！
あらわ　　ひょうげん　　ちゅう い

Pay attention to the expressions used in metaphors!
注意假設法的表達方式！
비유를 나타내는 표현에 주의합시다！

- まるで夢のようだ／まるで夢みたいだ
　　　　ゆめ　　　　　　　　　　ゆめ
- 夢のような話／夢みたいな話
　ゆめ　　　　はなし　ゆめ　　　　　はなし
- 夢のように幸せ／夢みたいに幸せ
　ゆめ　　　　　しあわ　ゆめ　　　　　しあわ

夢だよ！
ゆめ

あの子とデートしている
なんて、夢みたい……
　　　　　　ゆめ

★「夢」は「たとえ」で、事実ではないことに注意しましょう。
　ゆめ　　　　　　　　　じ じつ　　　　　　　　　ちゅう い

Be aware that '夢' (the dream) is a metaphor and was not an actual incident.
注意「夢 (梦)」是表示「假設」，并不是事実。　「夢 (꿈)」은 비유한 말입니다. 사실이 아님에 주의합시다.

れんしゅう 次の会話文を読んで、後の文から正しいものを選ぼう。　▶答えは次のページの右下
　　　　　　つぎ　かい わ ぶん　よ　　　あと　ぶん　　ただ　　　　　　えら　　　　こた　　つぎ　　　　　　みぎした

> 幼稚園の先生：健ちゃんはよくお絵かき（※1）しますね。
> ようちえん　せんせい　けん
> 健の母親　　：はい、家でも一日中絵をかいているんです。
> けん　ははおや　　　　　　いえ　　いちにちじゅう え
> 幼稚園の先生：幼稚園でもそうですよ。この間も私の絵をかいて見せてくれたん
> ようちえん　せんせい　ようちえん　　　　　　　　　あいだ わたし え　　　　　み
> 　　　　　　　ですが、私、カバ（※2）をかいたのかと思って……それで、健ちゃん、
> 　　　　　　　　　　わたし　　　　　　　　　　　　　おも　　　　　　　　　　けん
> 　　　　　　　ちょっと機嫌が悪くなっちゃって（※3）……。
> 　　　　　　　　　　　き げん わる
> 健の母親　　：す、すみませーん。
> けん　ははおや
> 幼稚園の先生：いえ、いえ、いいんですよ。私は、カバみたいに太っていますか
> ようちえん　せんせい　　　　　　　　　　　　　わたし　　　　　　　　　ふと
> 　　　　　　　ら……。とても観察力が鋭い（※4）ということですよ。
> 　　　　　　　　　　　かんさつりょく するど

（※1）お絵かき：絵をかくこと（子どもの言葉）　　　（※2）カバ：a hippopotamus　河馬　하마
　　　　え　　　え　　　　　　　　　　　　　　ことば

（※3）機嫌が悪くなる：to get in a bad mood, to get upset　不高興　기분이 상하다
　　　き げん わる

（※4）観察力が鋭い：very perceptive　观察力敏锐　관찰력이 날카롭다
　　　かんさつりょく するど

☐1　健ちゃんは絵をかくのが好きである。
　　　けん　　　　え　　　　　　　す

☐2　健ちゃんは、幼稚園でカバの絵をかいた。
　　　けん　　　　　ようちえん　　　　え

☐3　健ちゃんは、幼稚園で絵をかいたとき具合が悪くなった。
　　　けん　　　　　ようちえん　え　　　　　　　　ぐ あい わる

☐4　幼稚園の先生は、本当はやせている。
　　　ようちえん　せんせい　ほんとう

☐5　幼稚園の先生によると、健ちゃんは観察力がある。
　　　ようちえん　せんせい　　　　　けん　　　　　かんさつりょく

もんだい 次の４コマまんがを読んで、右の問いに答えなさい。

▶答えは p.73　　🔊 No.29

＊部分翻訳や解説は別冊 p.10

1
ママー みてみて！ おえかき したの

2
あら、こわ〜い！ ライオンさんね。 じょうずに かけたわね！

3
それ…… ママが笑っている ところなんだけど

4
……

問1　（１番目の絵）
男の子はどうしてうれしそうな顔をしているのか。

　1　ママが絵をかいてもいいと言ったから。
　2　絵が上手にかけたから。

問2　（２番目の絵）
ママは男の子がかいた絵を見てどう思ったのか。

　1　うまいと思った。
　2　恐ろしいと思った。

問3　（３番目の絵）
男の子はどうしてがっかりしたような顔をしているのか。

　1　ママが絵をまるでライオンのようだと言ったから。
　2　ママの顔をかいたのに、ライオンと間違われたから。

問4　（４番目の絵）
ママはどうして困った顔をしているのか。

　1　絵が全然人間には見えないくらい下手だったから。
　2　絵がこわいライオンだと思っていたら、自分の顔だったから。

もんだい（p.69）の答え：問 . **1**

（左ページの答え→ 1・5）

第1週

第2週

第3週

第4週

第5週

第6週

新聞を読もう　　　　　　　　　　　　　　　　　月　　日（　）

まとめの問題
Summary questions　綜合問題　정리 문제

制限時間：15分
1問25点×4問
答えは p.77
部分翻訳や解説は別冊 p.10

点数
／100

問題1　つぎのグラフは日本の人口の推移（※1）と将来の人口を表したものである。よく見て、下の質問に答えなさい。答えは、1・2・3・4から最もよいものを一つえらびなさい。

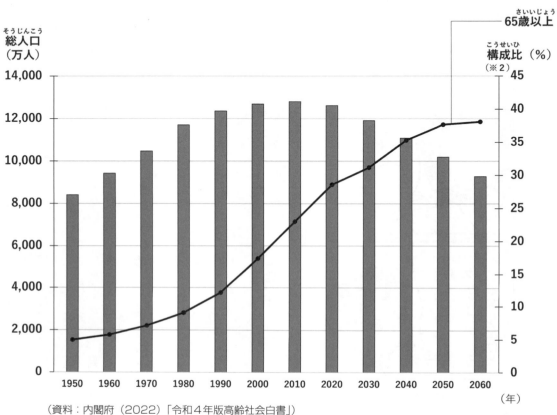

総人口
（万人）

構成比（％）
（※2）

65歳以上

（資料：内閣府（2022）「令和4年版高齢社会白書」）

（※1）推移：移り変わり

（※2）構成比：全体に対する割合

1 日本の総人口について、正しいものはどれか。グラフを見て答えなさい。

1　日本の人口は 2010 年には 1950 年の 1.5 倍まで増加したが、その後は一定になると予想される。

2　日本の人口は 2010 年には 1950 年の 2 分の 1 まで減少したが、それを境に少しずつ増加していくと予想される。

3　日本の人口は 2010 年には 1950 年の 1.5 倍まで増加したが、それをピークに減少すると予想される。

4　日本の人口は 2060 年ごろまで増加する見込みだが、その後は少しずつ減っていくと予想される。

2 人口の構成比について、正しいものはどれか。グラフを見て答えなさい。

1　10％にも満たなかった 65 歳以上の人口は 1990 年ごろから急激に増加し続け、40％に達すると予想されている。

2　10％にも満たなかった 65 歳以上の人口は 1990 年ごろから急激に増加し続け、将来は総人口の半分を占めると予想される。

3　65 歳以上の人口は 1990 年ごろから徐々に伸び、将来は総人口の半分を占めると予想される。

4　65 歳以上の人口は 1990 年ごろから徐々に伸びているが、2020 年ごろを境に急激に減少し続けると予想される。

もんだい (p.71) の答え：問1. **2**　問2. **1**　問3. **2**　問4. **2**

問題2 つぎの新聞記事を読んで、質問に答えなさい。答えは、1・2・3・4から最もよいものを一つえらびなさい。

🔊)) No.30

事件の影響で（※1）心の傷

カウンセリング（※2）開始
大阪市中央区の小中学校

「子どもが一人で寝られない」「包丁を見ると泣き出す」。大阪で起きた児童殺傷（※3）事件の影響で、事件の現場（※4）となった青山小学校の児童たちが深刻な心の傷を訴えている。また事件に直接関係のない付近の小学校や中学校でも、事件後、「学校へ行くのをいやがる」「怖い夢をみる」などという生徒が増えるなどの現象が起きており、各校では十一日より学校関係者による子どもたちのカウンセリングを開始した。

（※1）〜の影響で：〜が原因で　　（※2）カウンセリング：悩みなどを聞き、相談にのること
（※3）殺傷：殺したり傷つけたりすること　　　（※4）〜の現場：〜が起こった場所

3 この記事からわかることはどれか。

1 いつ事件が起こったか。
2 だれが児童を傷つけたか。
3 どこで事件が起こったか。
4 何人の児童が傷つけられたか。

4 この文章には何が書いてあるか。

1 青山小学校より付近の小中学校のほうが事件の影響が大きい。
2 事件による子どもたちの心の傷は深く、カウンセリングが必要である。
3 カウンセリングをしても事件による子どもたちの心の傷は治らない。
4 学校関係者は事件について深刻な心の傷を訴えている。

第5週

日記や小説を読もう

Let's read diaries and novels!

阅读日记和小说

일기와 소설을 읽어 봅시다

日記や小説を読もう

日記①
にっき

Diaries ①
日记①
일기①

❀「だれがするか」に注意しよう！
ちゅう い

Pay attention to the subject of each clause!
注意「谁来做」！　「누가 하는지」에 주의합시다！

久しぶりに子どもと **遊んでやったら**、**大喜びだった**。
ひさ　　　　　こ　　　　　　あそ　　　　　　　　おおよろこ

だれが遊んで
あそ
やったの？

私が　　　　子どもが
わたし　　　　　こ

だれが大喜び
おおよろこ
だったの？

★日本語では、「だれが」の部分がよく省略されます。
に ほん ご　　　　　　　　　　　ぶ ぶん　　　　しょうりゃく

In Japanese, the subject is often omitted.
在日语中经常省略「谁来做」的部分。
일본어는「누가」의 부분이 자주 생략됩니다.

れんしゅう 次の会話文を読んで、後の文から正しいものを選ぼう。 ▶**答えは次のページの右下**
つぎ　かい わ ぶん　よ　　　あと　ぶん　　ただ　　　　　　えら　　　　　　　こた　　つぎ　　　　　　みぎした

有希：ねえ、愛ちゃん、誕生日いつ？
ゆき　　　　　　あい　　　　　たんじょうび

愛　：私は8月5日。あと2週間で15歳。
あい　　わたし　がついつ か　　　　　しゅうかん　　　　さい

有希：あ、私は10月5日だから、ちょうど2ヵ月違いだね。ね、舞ちゃんはいつ？
ゆき　　　わたし　がついつ か　　　　　　　　　　　げつちが　　　　　　　まい

舞　：1月1日。
まい　　がつ ついたち

愛　：えー！　お正月なんだ。おめでたいね。
あい　　　　　　　しょうがつ

舞　：うん、でも、あんまりよくない。だって、誕生日プレゼントなんてもらっ
まい　　　　　　　　　　　　　　　　　　　　　たんじょうび

　　　たことないもん（※1）。親も、お年玉（※2）でいいでしょ、って言うしね。
　　　　　　　　　　　　　おや　　　としだま　　　　　　　　　　　　い

（※1）～もん。：～から。　（※2）お年玉：gift money given to children at New Year's　压岁钱　세뱃돈
　　　　　　　　　　　　　　　　　　としだま

□1　みんなで誕生日パーティーの計画を立てている。
　　　　　　たんじょうび　　　　　　　けいかく　た

□2　2週間後に愛の誕生日が来る。
　　　しゅうかん ご　あい　たんじょうび　く

□3　愛は有希より2ヵ月早く生まれた。
　　　あい　ゆき　　　　げつはや　う

□4　舞は自分の誕生日にお年玉をもらえるのでうれしい。
　　　まい　じ ぶん　たんじょうび　としだま

□5　舞はいつも親から誕生日プレゼントをもらう。
　　　まい　　　　おや　たんじょうび

　　　▶「だって、～もん」という形でよく女性や子どもが使う。
　　　　　　　　　　　　　　　かたち　　　じょせい　こ　　　つか

This is a form commonly used by women and children.
女性或小孩经常使用「だって、～もん」。　「だって、～もん」이란 형태로 여성이나 아이가 자주 쓴다.

9月2日(月)　晴れ

　今日はうれしいことがあった。舞ちゃんから誕生日のプレゼントをもらったのだ。最初、なぜ私にくれるのかわからなかった。あまり話したことがないのに。しかも(※1)誕生日はとっくに(※2)過ぎているのに。

　1学期、舞ちゃんが学校を休んだとき、授業のノートを貸してあげたことがあった。そのときにすごく①うれしかったらしく、いつかお礼をしたいと思っていたそうだ。それから、自分の誕生日が1月1日で、お正月だし、友だちからプレゼントをもらうことがないから、②私の気持ちがわかると言っていた。

　そういえば、いつだったか、みんなで誕生日の話をしたことがあった。私の誕生日は夏休み中に来るから、友だちに会うことも少なくて、あんまりプレゼントをもらえない。それでいつもつまらないな、と思っていたのだ。

　今年も有希がカードをくれただけだった。かわいい写真たて(※3)もうれしかったけれど、それより、黙って(※4)プレゼントを用意してくれていたことに③感激した。

　舞ちゃんの誕生日には忘れずにプレゼントをあげなくちゃ。

　ありがとう、舞ちゃん！

（※1）しかも：what's more / furthermore　而且　게다가　（※2）とっくに：long time ago　早就…　훨씬 전에

（※3）写真たて：a photo frame　相框　액자　（※4）黙って：secretly; without revealing anything　悄悄地　말 없이

問1　①うれしかったのはだれか。また③感激したのはだれか。

　　　組み合わせとして正しいものを選びなさい。

　　1　①私　③私　　　2　①私　③舞　　　3　①舞　③舞　　　4　①舞　③私

問2　②私の気持ちとはどういう気持ちか。

　　1　誕生日が過ぎてしまって残念だ。

　　2　誕生日にかわいいプレゼントがほしい。

　　3　休み中に誕生日パーティーをしたい。

　　4　休み中でプレゼントがもらえなくてつまらない。

まとめの問題（p.72〜74）の答え：
問題1　①3　②1　　問題2　③3　④2

（左ページの答え→2・3）

日記や小説を読もう

日記② (にっき)

Diaries ②
日记②
일기②

✿日本語らしい表現に慣れよう！ (にほんご　ひょうげん　な)

Let's familiarize ourselves with some typical Japanese expressions!
习惯日语特别的表达方式！　일본어다운 표현에 익숙해집시다！

- 〜てあげる／〜てもらう／〜てくれる
- 〜られる／〜れる（受身） (うけみ)
- 〜させる／〜せる（使役） (しえき)
- 〜させられる／〜せられる／〜される（使役受身） (しえきうけみ)

★日本語の表現によく出てくるやりもらい（授受表現）や受け身、使役に注意しましょう。 (にほんご　ひょうげん　で　じゅじゅひょうげん　う　み　しえき　ちゅうい)

Pay attention to the common expressions for giving and receiving, as well as passive and causative forms.
注意日语中经常出现的授受、被动态、使役形等的表达方式。　일본어 표현에 자주 등장하는 수수 (수수) 표현이나 수동태, 사역형에 주의합시다！

れんしゅう 次の会話文を読んで、後の文から正しいものを選ぼう。 (つぎ　かいわぶん　よ　あと　ぶん　ただ　えら) ▶**答えは次のページの右下** (こた　つぎ　みぎした)

（学校で） (がっこう)

中村：今朝、山田のバイク(※1)に乗ってきたんだって？ (なかむら　けさ　やまだ　の)

田中：うん、おかげで遅刻にはならなかったけど、またおごらされる(※2)のかな。 (たなか　ちこく)

中村：きっとそうだよ。おれも、昨日乗せてもらって、帰りに一緒にコンビニに (なかむら　きのう　の　かえ　いっしょ)
　　　寄ったんだよ。そしたら、あいつ、おれのかごの中にいろいろ入れるんだ。 (よ　なか)
　　　「遅刻しないで済んだ(※3)のはおれのおかげだからな」って。ただで乗せて (ちこく　す　の)
　　　くれたっていいのになー。

田中：この間、おれが乗せてもらったときも、レストランへ寄ろうって言われてさ、 (たなか　あいだ　の　よ　い)
　　　やっぱりおごらされたよ。まったく、頭に来る(※4)よな。 (あたま　く)

（※1）バイク：a motor bike　摩托车　오토바이　（※2）おごる：to treat someone to some food　请客　한턱내다

（※3）遅刻しないで済む：not to be late　可以不迟到　다행히 지각하지 않다 (ちこく　す)

（※4）頭に来る：to get really angry　生气　화가 치밀다 (あたま　く)

- ☐ 1　山田君はバイクで学校に来ている。 (やまだくん　がっこう)
- ☐ 2　中村君も田中君もバイクで学校に来ている。 (なかむらくん　たなかくん　がっこう)
- ☐ 3　中村君も山田君のおかげで遅刻しないで済んだことがある。 (なかむらくん　やまだくん　ちこく　す)
- ☐ 4　中村君は山田君にコンビニでいろいろ買ってもらった。 (なかむらくん　やまだくん　か)
- ☐ 5　中村君は山田君にレストランでおごってあげた。 (なかむらくん　やまだくん)

▶「おごらされる」to be left to pay the (food) bill　被迫请客　（사 주기 싫은데 어쩔 수 없이）사 주다

もんだい 次の日記を読んで、後の問いに答えなさい。 ▶答えは p.81 🔊 No.32

＊部分翻訳や解説は別冊 p.10 ～ 11

> １１月２５日（火）　晴れ時々くもり
>
> 　　今朝は寝坊した。朝ごはんは抜き(※1)。バス停(※2)まで一生
>
> 懸命に走った。しかし、バスは目の前を通り過ぎる。ちょうど
>
> 同級生の山田がバイクで通りかかったので乗せてもらう。
>
> 遅刻にはならなかったから助かった。
>
> 　　が、これで３度目だ。やっぱり帰りがけ(※3)に呼び止められ
>
> て、ラーメンをおごらされた。前回はスパゲッティだった。
>
> 昨日は中村を乗せてきた。やっぱり帰りにコンビニに寄っ
>
> て、いろいろ買わせたらしい。あいつはいつもそうだ。
>
> 先週の日曜はだれかとステーキを食べたと自慢していた
>
> が、それも自分では払ってないだろう。おれはラーメン
>
> ぐらいでよかったのかもしれない。しかし、毎回、毎回、
>
> おごらされるのには頭に来る。もう乗せてもらうものか(※4)。
>
> 　　明日は寝坊しないぞ！

（※1）抜き：without　没吃饭（略过～）　끼니를 거르다　　　（※2）バス停：a bus stop　公交车站　버스 정류장

（※3）帰りがけ：just leaving to go home　回去（来）时　돌아오는 길

（※4）～ものか：There's no way I'll …　哪能、决不　절대로 ~ 하지 않는다

問1　あいつはいつもそうだとあるが、だれがいつもどうなのか。

1　山田君はいつも人に何かをおごらせる。

2　山田君はいつもみんなをバイクに乗せてくる。

3　中村君はいつも遅刻しそうになって山田君のバイクに乗ってくる。

4　中村君はいつも山田君に何かを買わせる。

問2　筆者はどういう気持ちか。

1　寝坊するほうが悪い。　　　　　　2　山田君におごらされるのはいやだ。

3　山田君におごるのは仕方がない。　4　中村君よりは金額が少なくてよかった。

もんだい（p.77）の答え：問1.**4**　問2.**4**

（左ページの答え→1・3）

日記や小説を読もう

家族①
かぞく

Family ①
家人 ①
가족①

✿ 事実と筆者の気持ちを区別しよう！
じじつ ひっしゃ きも くべつ

Learn to distinguish between the facts and the writer's feelings! 区别事实和笔者的个人感受！
사실과 글쓴이의 마음을 구별해 봅시다！

◆ ～（し）たい

◆ ～と思う
　　　おも

◆ ～と感じる
　　　かん

◆ ～ではないだろうか。

ほんとに起きた
　　　　　お
ことなの？

考えてること
かんが
なの？

★ これらの言葉の前は、事実ではなく、筆者の気持ちを表しています。
　　　　　ことば まえ　じじつ　　　　　ひっしゃ きも あらわ

The words preceding these phrases express the writer's feelings, rather than the facts.
这些词语前面表示的不是事实，而是笔者的个人感受。이러한 표현 앞에는 사실이 아니라 글쓴이의 마음을 나타내고 있습니다.

れんしゅう 次の会話文を読んで、後の文から正しいものを選ぼう。　▶答えは次のページの右下
　　　　　　 つぎ かいわぶん よ　　あと ぶん ただ　　　　　えら　　　　こた つぎ　　　　　みぎした

A：ピアノ、ずっと続けてるんだってね。私は小3 (※1)になったときにピアノやめ
　　　　　　　　　つづ　　　　　　　　わたし しょう
ちゃった。スイミングもやめちゃったし、続いているのはテニスだけ。
　　　　　　　　　　　　　　　　　　　つづ

B：うちの父さん、学生時代ずっとテニスをやっていて、僕にもやらせたかった
　　　　とう　　がくせいじだい　　　　　　　　　　　ぼく
みたい。だけど、僕、運動神経ない (※2)し、1年しか通わなかった。小2の間
　　　　　　　ぼく うんどうしんけい　　　　　ねん　　かよ　　　　　しょう あいだ
だけ。だけど、スポーツ見るのは好きだよ。サッカーとか野球とか。よく父
　　　　　　　　　　　み　　　 す　　　　　　　　　　　やきゅう　　　　とう
さんと見に行くよ。
　　　み　い

A：明日、コーチ (※3)たちの試合があって、有名な人も来るらしいよ。お父さんと
　あした　　　　　　　　しあい　　　　ゆうめい ひと く　　　　　　　とう
一緒に見に来ない？
いっしょ み こ

B：残念！　明日はピアノのレッスンがあるんだ。発表会 (※4)が近いから。また今
　ざんねん　あした　　　　　　　　　　　　　　はっぴょうかい ちか　　　　　　こん
度誘って。
ど さそ

（※1）小3：小学3年生　　（※2）運動神経ない：un-athletic　不擅长体育运动　운동 신경이 없다
　　　 しょう しょうがく ねんせい　　　　　　うんどうしんけい

（※3）コーチ：coach　教练　코치　　（※4）発表会：recital　汇报演出　발표회
　　　　　　　　　　　　　　　　　　　　　はっぴょうかい

□1　Aは小学2年生のとき、ピアノを習っていた。
　　　　 しょうがく ねんせい　　　　　　　　なら

□2　Bがテニス教室に通ったのは、2年間だけである。
　　　　　　　 きょうしつ かよ　　　　　ねんかん

□3　Bは運動が苦手である。
　　　　 うんどう にがて

□4　AはBに自分の試合を見に来ないかと誘った。
　　　　　　　 じぶん しあい み こ　　　　さそ

□5　明日は、Bのピアノの発表会がある。
　　　あした　　　　　　　　はっぴょうかい

もんだい 次の文章を読んで、後の問いに答えなさい。 ▶答えは p.83　🔊 No.33

＊部分翻訳や解説は別冊 p.11

妻から「赤ちゃんができた（※1）」と聞いたとき、男か女かどっちがほしいかという話になった。妻は絶対に女の子がいいと言った。裁縫（※2）が得意な妻は、おそろい（※3）の洋服を作って町を歩きたい、ピアノを習わせて、発表会の洋服も作って……と子どもが女の子だったときの想像を次々していた。私は、男の子がほしいと思った。

超音波検査（※4）で赤ちゃんが男の子だとわかったとき、私はこの子を近くのテニス教室に通わせようと思った。いや、野球の方がいいか。サッカーでもいい、ゴルフはどうだろうか。とにかく、私は息子に何かスポーツをさせたかった。何歳から教室に通えるのか、どんなコーチがいるのかなど調べたりした。<u>思い</u>がどんどん大きくなっていった。

あれから 10 年以上経った。息子はこれまで大した病気もせずに成長し、来年中学生になる。運動にはまったく興味がないようだ。勉強もよくがんばっているが、ピアノが好きで、毎日、長い時間練習をしている。

妻も私も最初の希望とは違う現実になっているが、（　　　　）。

（※1）赤ちゃんができた：pregnant　怀孕了　아기가 생겼다
（※2）裁縫：sewing　缝制　재봉　（※3）おそろい：matching　相同设计的　(옷이나 그 무늬 등이) 같음
（※4）超音波検査：ultrasound examination　超声波检查　초음파 검사

問1 この場合の<u>思い</u>とはどんな思いか。

1　生まれてくる赤ちゃんが男の子であってほしい。
2　元気な赤ちゃんが生まれてほしい。
3　息子にどのスポーツをさせるのがいいか調べたい。
4　息子に何でもいいから何かスポーツをさせたい。

問2 （　　　）に入る文として最も適当なものはどれか。

1　息子が元気に育っていることに満足している
2　希望通りにならなかったことは不満に思う
3　ピアノを習わせたことは、間違いだったかもしれない
4　息子はそのうちスポーツにも興味を持ってくれるだろう

もんだい (p.79) の答え：問1. **1**　問2. **2**

（左ページの答え→1・3）

日記や小説を読もう

家族② Family ②
かぞく 家人②
가족②

学習日

月　日（　）

✿一般的ではない描写に注意しよう！
いっぱんてき　　　　　びょうしゃ　　ちゅうい

Pay attention to the descriptions that don't fit the stereotypes!
注意特別的描述！　일반적이지 않은 묘사에 주의합시다！

子ども………　みんなかわいい存在？？？
こ　　　　　　　　　　　　　　　　そんざい

母、妻………　みんな家事をしている？？？
はは　つま　　　　　　　　　かじ

父、夫………　みんな仕事をしている？？？
ちち　おっと　　　　　　　　しごと

えっ？
飛べないの？
と

飛べないよ‼
と

★一般の常識と違う人や人間関係が書かれている文章がよくあります。
いっぱん　じょうしき　ちが　ひと　にんげんかんけい　か　　　　　　　　ぶんしょう

You may often come across sentences which describe people or relationships that don't match the stereotypes.
有許多文章里描述的并不是一般的人物或人际关系。
일반적인 상식과 다른 생각을 갖고 있는 사람이나 그러한 인간 관계가 쓰여 있는 문장은, 흔히 볼 수 있습니다.

れんしゅう 次の会話文を読んで、後の文から正しいものを選ぼう。　▶答えは次のページの右下
つぎ　かいわぶん　よ　　　あと　ぶん　　ただ　　　　　えら　　　　　こた　つぎ　　　　　　みぎした

妻：おかえりなさい。遅かったね。ごはんは？　お風呂、先にする？
つま　　　　　　　　　おそ　　　　　　　　　　　　　　　ふろ　さき

夫：風呂はいいよ。明日の朝、シャワー浴びるから。ご飯は、同僚（※）と食べたから、
おっと　ふろ　　　　　あした　あさ　　　　　あ　　　　はん　　どうりょう　た

いいよ。もう寝る。ああ、疲れた。
ね　　　　　つか

妻：明日は久しぶりの休みでしょ。ゆっくり寝たら？
つま　あした　ひさ　　　　　やす　　　　　　　　　ね

夫：そうしたいけど、明日は健太と動物園に行こうって約束したから。
おっと　　　　　　　あした　けんた　どうぶつえん　い　　　　やくそく

妻：私は健太の入学式に着ていく服を買いに行きたいんだけど。
つま　わたし　けんた　にゅうがくしき　き　　　　ふく　か　　　い

夫：じゃ、俺と健太が動物園に行っている間に、動物園の隣のショッピングセン
おっと　　　おれ　けんた　どうぶつえん　い　　　　あいだ　どうぶつえん　となり

ターで買い物すればいいよ。
か　もの

妻：そうね！
つま

夫：健太もいよいよ小学生か。子どもの成長は早いなあ。
おっと　けんた　　　　　　しょうがくせい　こ　　　　せいちょう　はや

（※）同僚：colleague　同事　동료
どうりょう

- □1　夫は、今晩、風呂ではなくシャワーを浴びたい。
おっと　こんばん　ふろ　　　　　　　　　　あ
- □2　夫は疲れているから、明日は家でゆっくりするつもりだ。
おっと　つか　　　　　　　　あした　いえ
- □3　健太は、今小学校に通っている。
けんた　　　いましょうがっこう　かよ
- □4　明日、家族3人で出かける予定だ。
あした　かぞく　にん　で　　　　よてい
- □5　夫は、健太との約束は守るつもりだ。
おっと　けんた　　　やくそく　まも

　私の母は、私が中学生になったころ、ある病気にかかって入退院を繰り返し、家にいる時もほとんど横になっていた。だから、家の中の仕事、つまり家事は家族で分担して(※1)いた。父は料理と洗濯、兄は掃除と買い物、私は料理の手伝いと後片付けが仕事だった。

　私が結婚して家を出てからは、料理は、体調が少しよくなった母が時々しているようだが、相変わらず(※2)父と兄が家事をやっている。二人とも、会社に行って仕事をしながらだから大変だと思うが、もう習慣になっているらしい。

　私の夫は、家事はほとんどしない。毎日、仕事で遅く帰ってくるから仕方がないとは思う。けれど、休みの日くらい、少しは手伝ってくれてもいいのに。私も仕事をしているから疲れているのは同じなのに。でも、子どもの世話はよくしてくれるから、文句を言うのはやめよう。

（※1）分担する：share　分担　분담하다　　（※2）相変わらず：same as always　一如既往　변함없이
ぶんたん　　　　　　　　　　　　　　　　　　　　　　　　あいか

問1　何が習慣になっているのか。
なに しゅうかん

　　1　母の体調が悪いこと
　　　　はは たいちょう わる

　　2　会社で仕事をすること
　　　　かいしゃ しごと

　　3　掃除や洗濯、買い物などをすること
　　　　そうじ せんたく か もの

　　4　子どもの世話をすること
　　　　こ せわ

問2　筆者が夫に対して思っていることは何か。
ひっしゃ おっと たい おも なに

　　1　家事を手伝ってくれないのは不満だけど、仕方がない。
　　　　かじ てつだ ふまん しかた

　　2　今度、もっと手伝ってくれと言うつもりだ。
　　　　こんど てつだ い

　　3　父や兄と同じくらい家事をしてほしい。
　　　　ちち あに おな かじ

　　4　もっと子どもの世話をしてほしい。
　　　　こ せわ

もんだい (p.81) の答え：問1．**4**　問2．**1**　　　　　　（左ページの答え→4・5）
こた ひだり こた

日記や小説を読もう

小説① しょうせつ

Novels ①
小说①
소설①

✿「これ／それ（指示語）」に注意しよう！ —答えが前にある場合

Pay attention to 'これ' and 'それ'！ — When they refer to a previously mentioned idea.
注意「これ／それ（指示语）」！ — 要指的事物在前面的情况　「これ／それ（지시어）」에 주의합시다！ — 답이 앞에 있는 경우

（前の文章）
○○○○○○○。**そのこと**は……

（前の段落）…………………………
………………………………………
………………………○○○○○○○○○
これは…………。

大きい木の上に止まっていたとき、
美しい彼女を見たんだ……
あの彼女は今どこに……

どこかな？

★前の段落に答えがある場合もあります。名詞とは限りません。
The key idea might be in the previous sentence/paragraph. It is not necessarily a noun.
有时候要指的事物会出现在上一个段落。未必是名词。　앞 단락에 답이 있는 것도 있습니다. 반드시 명사라고 단정할 수 없습니다.

れんしゅう 次の会話文を読んで、後の文から正しいものを選ぼう。 ▶答えは次のページの右下

> 純子のおば ： 純子ちゃん、里いも（※1）の皮をむくのは難しいでしょう。
> 純子 ： うん。でもね、お父さんの誕生日だからどうしても作ってあげた
> いんだ。だからがんばる。お父さん、筑前煮（※2）、大好きなんだもん。
> お母さんが死んでから一度も食べてないし。お母さんのように上手
> には作れないと思うけど、がんばって覚えるから教えて、おばさん。
> 純子のおば ： わかった。じゃ、これむいたら、次は鶏肉（※3）を切るのよ。

（※1）里いも：taro　芋头　토란　　　　　　　（※2）筑前煮：料理の名前
（※3）鶏肉：chicken　鸡肉　닭고기

☐1　純子は今、里いもを煮ている。

☐2　純子はお母さんに筑前煮の作り方を教えてもらった。

☐3　純子のおばさんは筑前煮の作り方を知っている。

☐4　純子の父親は妻の作った筑前煮が大好きだった。

☐5　純子は里いもの皮をむくのをあきらめた。

第1週

第2週

第3週

第4週

第5週

第6週

「できたよー。」

という純子の高い声でテーブルにつくと、筑前煮があった。いろいろな野菜を鶏肉と一緒に煮てあり、結構(※1)本格的に(※2)作られているようだ。

「すごいじゃないか、お前、こんな料理をいつ覚えたんだ？」

「へへー、この間、夕子おばさんに教えてもらったんだ。」

それは私の好物(※3)であり、妻の得意料理だった。妻が亡くなってから今日までの１年半、わが家の食卓に①姿を見せたことがなかった。今日は私の誕生日なので、純子ががんばって作ってくれたのだろう。まだ小学６年生だというのに、自分のさびしさを隠して、私のことを気遣って(※4)くれているのだ。

②こんなことを考えていたなんて。「お父さん、今日は簡単なものにするね。」と言っていたのに。私は胸が熱くなり(※5)、しばらくの間、箸を動かすことができなかった。

（※1）結構：quite　相当　제법, 꽤　　　　　（※2）本格的に：in an authentic manner　正式的　본격적으로

（※3）好物：a favorite dish 爱吃的东西 좋아하는 음식　（※4）気遣う：be considerate / nice 挂念 염려하다, 걱정하다

（※5）胸が熱くなる：it warms one's heart　感到心头一热　감동하다

問1　①姿を見せたことがなかったとあるが、どういう意味か。

1　筑前煮が出てきたことがなかった。

2　妻の姿を見ることがなかった。

3　夕子と一緒に食事したことがなかった。

4　好物は一つもなかった。

問2　②こんなこととあるが、どういうことか。

1　料理を覚えること

2　私と一緒に食事をすること

3　私の好物の筑前煮を作ること

4　簡単な料理を準備すること

もんだい（p.83）の答え：問1．3　問2．1

（左ページの答え→3・4）

日記や小説を読もう

小説②
しょうせつ

Novels ②
小说②
소설②

❀「これ / それ（指示語）」に注意しよう！ ─答えが後ろにある場合
しじご　　　　　　　ちゅうい　　　　　　　　　　　こた　　　うし　　　　ばあい

Pay attention to 'これ' and 'それ'! ─ When the referred idea comes later
注意「これ／それ（指示語）」！ ─ 要指的事物在后面的情况　「これ／それ（지시어）」에 주의합시다！ ─ 답이 뒤에 있는 경우

・<u>こんな</u>ものがあったと言って、<u>古い写真</u>を出してきた。
　　　　　　　　　　　　　　い　　　　　ふる　　しゃしん　　だ

・<u>その知らせ</u>は突然だった。<u>僕の作品が受賞する</u>なんて、本当に驚いた。
　　　し　　　　　とつぜん　　　　　ぼく　さくひん　じゅしょう　　　　　　　ほんとう　おどろ

★読み手に「何だろう」と期待させるための効果的な書き方です。
よ　て　　なん　　　　　きたい　　　　　　　　こうかてき　か　かた

This is an effective way to capture the readers' attention.
使读者产生「是什么啊」期待效果的写法。　읽는 사람에게「뭘까？」하고, 기대하게 하는 효과적인 방법입니다.

れんしゅう 次の会話文を読んで、後の文から正しいものを選ぼう。　▶答えは次のページの右下
　　　　　　つぎ　かいわぶん　よ　　　あと　ぶん　　ただ　　　　　　えら　　　　　　こた　　つぎ　　　　　　みぎした

> A：あれ、どうなった？　みんな、うわさしているよ。
>
> B：ああ、僕が見つけたあれね。落としたかもって言ってきた人は5人もいたら
> 　　ぼく　み　　　　　　　　　　　お　　　　　　　　　　い　　　　　　　ひと　　にん
> 　　しいけれど、今のところ、全部違うんだって。
> 　　　　　　　　いま　　　　　　ぜんぶちが
>
> A：へえ〜。何か月間か、落とし主（※）が見つからなかったとしたら、君のものに
> 　　　　　　なん　げつかん　　お　　ぬし　　　み　　　　　　　　　　　　　　きみ
> 　　なるんだよね。一千万円だよ。すごいね！　今度おごってよ。本当は君の犬
> 　　　　　　　　いっせんまんえん　　　　　　　　　　こんど　　　　　　　ほんとう　きみ　いぬ
> 　　が見つけたんだろ。首輪、いいのを買ってやれよ。
> 　　み　　　　　　　　くびわ　　　　　　　か
>
> B：僕のものになってから言ってよ。
> 　　ぼく　　　　　　　　　い

（※）落とし主：owner of a lost article　失主　분실자
　　　お　　ぬし

□1　AはBが拾ったものを知っている。
　　　　　　　ひろ　　　　　　し

□2　Bはお金を落としたかもしれないと言っている。
　　　　　　かね　お　　　　　　　　　　　　い

□3　Aは一千万円もらえるかもしれない。
　　　　　いっせんまんえん

□4　一千万円を最初に見つけたのはBの犬だ。
　　　いっせんまんえん　さいしょ　み　　　　　　　　いぬ

□5　一千万円の落とし主を必ず見つけなければいけない。
　　　いっせんまんえん　お　　ぬし　かなら　み

もんだい 次の文章を読んで、後の問いに答えなさい。 ▶答えは p.89 🔊)) No.36
＊部分翻訳や解説は別冊 p.11 ～ 12

　その日の午後になるまでは、だれも<u>それ</u>に気が付かなかったらしい。最初に見つけたのは僕だ。いや、本当のことを言えばジョンが見つけたんだけど、ジョンは犬だし、ぼくが見つけたと言ってもいいと思う。びっくりして、交番に届けた。

　ジョンが山道を入っていって何か重そうに引きずって(※1)きたとき、またかと思った。ジョンは散歩に行くと、だれかが落としたタオルやメガネとか泥がついた色々なものをくわえてくる。その日は何かと思ったら、カバンだった。いつものように放っておこう(※2)と思ったけれど、チャック(※3)の間から何かが飛び出しているのが見えた。カバンは泥で汚かったけれど、それは、ビニールの袋に包まれたお金だった。よく見ると、一万円札の束(※4)がいくつも！カバンごと交番まで持っていった。一千万円も入っていたそうだ。重かったはずだ。

　「犬を散歩の高校生、一千万円拾う」って、テレビの夕方のニュースで、僕のことも言っていて、びっくりした。

（※1）引きずる：prolong 拖着 질질 끌다　（※2）放っておく：ignore 放任不管 내버려 두다
（※3）チャック：zipper 拉链 지퍼
（※4）一万円札の束：bundle of 10,000 yen bills 一捆一万日元的纸币 1만엔 지폐 다발

問1　<u>それ</u>とは何を指すか。

1　山道　　　　　　　　　　2　泥のついたカバン
3　ビニールでできた一万円札　4　夕方のニュース

問2　筆者がカバンに一千万円入っていたと知ったのはいつか。

1　ジョンがカバンを引きずってきたとき
2　ビニールに包まれた一万円札が見えたとき
3　交番にカバンを届けたとき
4　夕方のニュースを聞いたとき

もんだい (p.85) の答え：問1．**1**　問2．**3**　　　　（左ページの答え→1・4）

日記や小説を読もう

月　日（　）

まとめの問題

Summary questions　綜合問題　정리 문제

制限時間：15分
1問 20点×5問
答えは p.93
部分翻訳や解説は別冊 p.12

点数
／100

問題1　つぎの文章を読んで、質問に答えなさい。答えは、1・2・3・4から最もよいもの
を一つえらびなさい。

🔊 No.37

　ポチの鳴き声でぼくは目がさめた。

　ねむたくてたまらなかったから、うるさいなとその鳴き声をおこっているまもなく、真っ赤な火が目に映ったので、おどろいて両方の目をしっかり開いて見たら、戸だなの中じゅうが火になっているので、①二度おどろいて飛び起きた。そうしたらぼくのそばに寝ているはずのおばあさまが何か黒い布（※1）のようなもので、夢中になって戸だなの②火をたたいていた。　（中略）

　部屋の中は、障子も、壁も、床の間も、ちがいだな（※2）も、昼間のように明るくなっていた。おばあさまの影法師（※3）が大きくそれに映って、化け物（※4）か何かのように動いていた。　（中略）

　火事なんだ。おばあさまが一人で消そうとしているんだ。③それがわかるとおばあさま一人ではだめだと思ったから、ぼくはすぐ部屋を飛び出して、おとうさんとおかあさんとが寝ている離れ（※5）の所へ行って、

「おとうさん……おかあさん……。」と思いきり大きな声を出した。

　ぼくの部屋の外で鳴いていると思ったポチがいつのまにかそこに来ていて、きゃんきゃんとひどく鳴いていた。ぼくが大きな声を出すか出さないかに、おかあさんが寝巻き（※6）のままで飛び出してきた。

「どうしたというの？」とおかあさんはないしょ話のような小さな声で、ぼくの両肩をしっかりおさえてぼくに聞いた。

「たいへんなの……。」

④「たいへんなの、ぼくの部屋が火事になったよう。」と言おうとしたが、どうしても「たいへんなの。」きりであとは声が出なかった。

（有島武郎『火事とポチ』）

（※１）布：布のこと

（※２）ちがいだな：床の間などにある高さの違う２枚の棚

（※３）影法師：影のこと

（※４）化け物：モンスター、物語などに出てくる実際にはいない怖い生き物

（※５）離れ：同じ家だが、少し離れて建てた部屋

（※６）寝巻き：寝るとき着る物

1 ①二度はいつといつか。

　　1　目が覚めたときとねむたくてたまらなかったとき

　　2　起きたときと戸だなを開けたとき

　　3　ポチを見たときとおばあさまを見たとき

　　4　真っ赤な火が目に映ったときと戸だなの中の火を見たとき

2 だれが何のために、②火をたたいていたのか。

　　1　おばあさまが料理をするために

　　2　ポチが火事を知らせるために

　　3　おばあさまが火を消すために

　　4　ポチが怪物と戦うために

3 ③それがわかるとの「それ」は何をさすか。

　　1　ポチがいつのまにかそばに来ていること

　　2　おばあさまが火事を起こしたこと

　　3　離れにお父さんとお母さんがいること

　　4　おばあさまが火事を一人で消そうとしていること

4 ④……声が出なかったと書いてあるが、ここからぼくのどんなようすがわかるか。

　　1　ねむくてたまらないようす

　　2　ショックを受けているようす

　　3　感動しているようす

　　4　おもしろがっているようす

もんだい（p.87）の答え：問１．**2**　問２．**3**

つぎの文章を読んで、質問に答えなさい。答えは、1・2・3・4から最もよいもの
を一つえらびなさい。　🔊 No.38

　先日、妻と一泊旅行をしました。温泉までの山道を走っていたとき、突然、妻が「ね、
覚えてた？　今日、私の誕生日なのよ。」と言い出しました。すっかり忘れていた私。
「じゃ、これからの温泉旅行がそれだな。」と言ったのですが、初めはなかなか納得して
くれませんでした。しかし、いつもよりぜいたくな食事をし、気に入った食器を手に入
れた妻は、満足したようすでした。私もほっとしました。

5 この文章の内容と合っているものはどれか。

1　夫は、妻の誕生日のお祝いのために温泉旅行を計画していた。
2　妻はいつも誕生日を忘れる夫を、最後まで許さなかった。
3　結局、この温泉旅行が妻への誕生日プレゼントになった。
4　夫は、妻の誕生日プレゼントが安くてよかったと思った。

意見文や説明文を読もう
いけんぶん　　せつめいぶん　　　よ

Try to read opinions and explanations!

阅读各种评论文章和论说文

의견문이나 설명문을 읽어 봅시다

意見文や説明文を読もう

意見文①
いけんぶん

Opinions ①
评论文章①
의견문①

✿文章のパターンを見つけよう！
ぶんしょう　　　　　　　　　　　　み

Identify the discourse structure of texts!
辨別文章的模式！ 문장의 양식을 찾아봅시다！

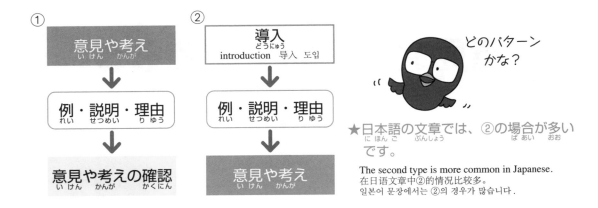

①
意見や考え
いけん　かんが
↓
例・説明・理由
れい　せつめい　りゅう
↓
意見や考えの確認
いけん　かんが　　かくにん

②
導入
どうにゅう
introduction 导入 도입
↓
例・説明・理由
れい　せつめい　りゅう
↓
意見や考え
いけん　かんが

どのパターン
かな？

★日本語の文章では、②の場合が多い
にほんご　ぶんしょう　　　　　ばあい　おお
です。

The second type is more common in Japanese.
在日语文章中②的情况比较多。
일본어 문장에서는 ②의 경우가 많습니다.

れんしゅう 次の会話文を読んで、後の文から正しいものを選ぼう。　▶答えは次のページの右下
　　　　　　つぎ　かいわぶん　よ　　　　あと　ぶん　　ただ　　　　　　えら　　　　　　　こた　　つぎ　　　　　　みぎした

夫：あれ、年賀状書いてるの？　うちは去年から年賀状を出すのやめたのに？
おっと　　　　　ねんがじょうか　　　　　　　　　きょねん　　ねんがじょう　だ

妻：この1枚だけ。最近お世話になってる年配の方に、年末に「出すから住所教
つま　　　　まい　　　さいきん　せわ　　　　　　ねんぱい　かた　　　ねんまつ　　だ　　　　　じゅうしょおし

えて」って言われて、「年賀状じまい」したって言えなかったの。
　　　　　　い　　　　　　ねんがじょう　　　　　　　　い

夫：メールで新年の挨拶すればいいんじゃないの？　あ、メールとか苦手な人？
おっと　　　　しんねん　あいさつ　　　　　　　　　　　　　　　　　　にがて　ひと

妻：ううん、メールもSNSもやってらっしゃるんだけど、年賀状は昔からのハガ
つま　　　　　　　　　　　　　　　　　　　　　　　　ねんがじょう　むかし

キのスタイルがいいらしいの。やめた人がいるって怒ってらしたから。
　　　　　　　　　　　　　　ひと　　　　　　おこ

夫：そうなんだ……、うちのお父さんと同じだね。お父さん、なんでやめるんだっ
おっと　　　　　　　　　　　　　とう　　　　おな　　　　　とう

て、怒ってたもんね。
　おこ

☐1　二人はみんなに新年のあいさつをするのをやめた。
　　　ふたり　　　　　　　　しんねん

☐2　二人は友人や家族に年賀状を出すのをやめている。
　　　ふたり　ゆうじん　かぞく　ねんがじょう　だ

☐3　妻の知り合いの年配の人はメールやSNSが苦手だ。
　　　つま　し　あ　　　ねんぱい　ひと　　　　　　　　　にがて

☐4　夫の父親は「年賀状じまい」に対して賛成していない。
　　　おっと　ちちおや　　ねんがじょう　　　たい　　　さんせい

☐5　妻は最近お世話になっている年配の人の住所を知らない。
　　　つま　さいきん　せわ　　　　　　　ねんぱい　ひと　じゅうしょ　し

第1週
第2週
第3週
第4週
第5週
第6週

「年賀状じまい」って何かわかりますか。「しまう」は終わりにするということですから、「郵便での年賀状のやりとりを止める」という意味になります。

最近、このお知らせをもらうことが増えてきました。

年賀状のもとは平安時代（※1）にあって、明治20年（1887年）ごろには郵便のシステムが発展し、年賀はがきが急速に広まったそうです。日本の文化として親しまれてきました（※2）が、忙しい年末に準備をするのはちょっと大変です。

年を取ったので、という理由で「おしまい」にするケースはこれまでにもありましたが、今はメールやSNSで済ませる人が増えたため、年賀はがきを送る人が減っているようです。たしかに、今はペーパーレス（※3）の時代ですから、年賀はがきはなくなってしまうだろうという意見は多いでしょう。

けれども、年賀はがきがなくなったとしても、お世話になった人に感謝（※4）の気持ちを書いたり、なかなか会えない人に連絡を取ったりするという、新年のあいさつの習慣は、日本的な行事（※5）として残るのではないでしょうか。

（※1）平安時代：794～1185年　（※2）親しまれてきた：have become familiar　熟悉的　사랑받아 왔다

（※3）ペーパーレス：paperless　无纸化　페이퍼리스　（※4）感謝：gratitude　感恩　감사

（※5）行事：event　仪式、活动　행사

問1 「年賀状じまい」とは、どういう意味か。

1　新年のあいさつをおしまいにすること

2　メールやSNSで新年のあいさつをすること

3　年賀状を出したりもらったりするのをやめること

4　忙しい年末に年賀状を準備しないようにすること

問2 筆者は「年賀状じまい」について、どう思っているか。

1　日本の文化としての年賀状のやりとりがなくなるのを残念がっている。

2　形は変わっても、新年のあいさつの習慣はなくならないと思っている。

3　メールやSNSが年賀はがきのかわりになってしまうのを残念がっている。

4　ペーパーレスの時代になっても年賀状だけはなくならないと思っている。

まとめの問題（p.88～90）の答え：
問題1　①4　②3　③4　④2　　問題2　⑤3

（左ページの答え→2・4）

意見文②

Opinions ②
评论文章②
의견문②

✿筆者の意見や考えのある部分を見つけよう！

Identify the parts which express the writer's opinions and ideas!
找出笔者的意见和想法部分！　글쓴이의 의견이나 생각이 있는 부분을 찾아봅시다！

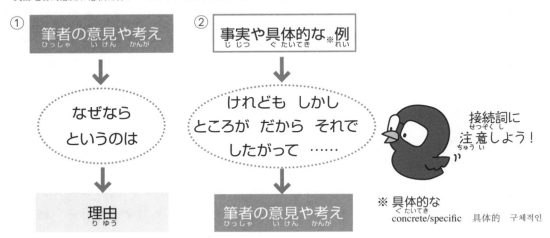

① 筆者の意見や考え

→

なぜなら
というのは

→

理由

② 事実や具体的な※例

→

けれども　しかし
ところが　だから　それで
したがって　……

→

筆者の意見や考え

接続詞に
注意しよう！

※ 具体的な
concrete/specific　具体的　구체적인

れんしゅう　次の会話文を読んで、後の文から正しいものを選ぼう。　▶答えは次のページの右下

> 夫：また日本人の平均寿命（※1）が伸びたんだってね。
>
> 妻：そう、男性は81歳、女性は87歳になったのよ。
>
> 夫：ということは、おれたちが平均寿命まで生きたとしたら、おれはこれから25年、お前は35年もあるっていうことになるよね。
>
> 妻：この先、長いのね。楽しまなきゃ。私、ダンス、習いに行こうかしら。
>
> 夫：おい、50過ぎてからダンスはきつい（※2）んじゃないの？
>
> 妻：そりゃ若い人には負けるだろうけど、ゆっくりと長くやっていればできるようになるでしょう。だって、私の人生これからまだまだあるんだもの。

（※1）平均寿命：average life expectancy　平均寿命　평균 수명
（※2）きつい：hard / difficult　吃力　힘들다

☐1　この夫婦は50代である。

☐2　夫より妻のほうが年を取っている。

☐3　夫は日本人の平均寿命まで生きたいと思っている。

☐4　妻は夫と一緒にダンスを習いたがっている。

☐5　妻は残りの人生を楽しんで生きたいと思っている。

　昔は①人生50年と言われましたが、現在では、その後約30年の人生があるのが当たり前になりました。人は、生きる目標が必要な動物です。目的もなく、だらだらと(※1)生活することはとてもつまらないものです。

　若いときなら、何かを始める場合に特別な大きい障害(※2)はありません。体も動くし頭もやわらかいです。新しいことをどんどん吸収できます。スポーツでも勉強でも、やる気になったものをある程度の形にするのは比較的簡単でしょう。しかし、50を過ぎると体も硬くなり物覚え(※3)も悪くなります。若いときのように何にでも挑戦できる(※4)という状態ではなくなってしまうのは、事実なのです。

　けれども、次のように考えてみてはどうでしょうか。若いときなら5年でマスターできることを、その倍の時間がかかったとしても10年。それでも残りの人生はまだ20年あるのです。そう考えれば50から始めても決して遅くはありません。もう年だからとあきらめず、常に新しいこと、やりたいことに挑戦し続けることは大切です。これは、人生80年という時代の②ひとつの生き方だと思います。

（※1）だらだらと：to drag on　拖泥带水　빈둥빈둥 헛되이 시간을 보내다

（※2）障害：an obstacle　障碍　장애　　　　　　（※3）物覚え：memory　記憶力　기억력

（※4）挑戦する：to take up a challenge　挑战　도전하다

問1　①人生50年というのはどういう意味か。

　　1　昔は50歳くらいで死ぬ人が多かった。

　　2　50歳で死ぬ人は少ない。

　　3　人生は50年間は目標をもって生活すべきだ。

　　4　残りの人生がまだ50年ある。

問2　②ひとつの生き方とはどういう生き方か。

　　1　若い人とは違って、老人は老人らしくするような生き方

　　2　若い人とは違う新しいことをするような生き方

　　3　若い人の2倍は努力するような生き方

　　4　年を気にせずにやりたいことに挑戦し続けるような生き方

もんだい（p.93）の答え：問1．**3**　問2．**2**

（左ページの答え→1・5）

意見文や説明文を読もう

意見文③
いけんぶん

Opinions ③
評論文章③
의견문③

✿意見を言いたいときの質問の形に注意しよう！
いけん　い　　　　　　　　　しつもん　かたち　ちゅうい

Pay attention to the form of the questions that are used to express opinions!
注意发表意见时的提问形式！　　의견을 말하고 싶을 때의 질문 형태에 주의합시다！

だれが
するのでしょうか？

どうして
するのでしょうか？

いいのでしょうか？

本当なのでしょうか？
ほんとう

あの人、
ひと
質問ばかりして
しつもん
何も知らないの
なに　し
かなぁ。

文の形	本当に言いたいこと
ぶん　かたち	ほんとう　い

○○だろうか？　＝　○○ではない！

△△ではないだろうか？　＝　私は△△だと思う！
　　　　　　　　　　　　　　わたし　　　　　おも

だれが□□するのだろう？　＝　だれも□□しない！

何のために××するのだろう？　＝　××する理由は何もない！
なん　　　　　　　　　　　　　　　　　　　　りゆう　なに

違うでしょ！
ちが

★疑問の形になっていますが、自分の意見を強調しています。
ぎもん　かたち　　　　　　　　　じぶん　いけん　きょうちょう

These phrases are in question form, but they are used to emphasize the writer's opinion.
这里使用的是疑问句的表达方式，是要强调自己的意见。　의문의 형태로 되어 있지만, 자신의 의견을 강조하고 있습니다.

れんしゅう 次のAさんの言葉を読んで、後の文から正しいものを選ぼう。 ▶答えは次のページの右下
つぎ　　　　　　ことば　よ　　　あと　ぶん　ただ　　　　　えら　　　　　こた　つぎ　　　みぎした

> 先日、整形外科（※1）に行った時、ちょっとびっくりしました。小学生くらいの子が
> せんじつ　せいけいげか　　　い　とき　　　　　　　　　　　　　　　しょうがくせい　　　こ
> 名前を呼ばれて、受付をしたのに、一緒に来ていた母親は知らん顔でスマホに夢
> なまえ　よ　　　うけつけ　　　　いっしょ　き　　　ははおや　し　　かお　　　　　む
> 中。通路に立って、みんなの邪魔をして、ゲームしてたんです。子どもの方がちゃ
> ちゅう　つうろ　た　　　　　　じゃま　　　　　　　　　　こ　　　ほう
> んとしていると思っていたら、その子はリハビリ用の（※2）自転車みたいなのを始め
> おも　　　　　　　　こ　　　　　　よう　　　じてんしゃ　　　　　　はじ
> たんですが、スマホ見ながらだったんです。スマホは便利で私も利用しています
> み　　　　　　　　　　　　　べんり　わたし　りよう
> けど、いつでもどこでも手から放さない「スマホ依存」とか「ながらスマホ」っ
> て　はな　　　　　　　　いぞん
> ていうのは、どうなんでしょう。

（※1）整形外科：orthopedics　骨科　정형외과　　（※2）リハビリ用の：for rehabilitation　用于康复的　재활 치료용
せいけいげか　　　　　　　　　　　　　　　　　　　　　　　　よう

☐1　Aさんはスマホを使っていない。
つか

☐2　Aさんはスマホの便利さを知っている。
べんり　し

☐3　Aさんの子どもは整形外科でゲームをして、みんなの邪魔をした。
こ　　　　せいけいげか　　　　　　　　　　　じゃま

☐4　Aさんは「ながらスマホ」はよくないと思っている。
おも

☐5　Aさんは親が子どもにスマホの使い方を教えるべきだと思っている。
おや　こ　　　　　　　つか　かた　おし　　　　　おも

▶「どうなんでしょう」は「いいとは思わない」ということ
おも

今やスマートフォンは現代社会に欠かせない(※1)道具となっている。いつで
も連絡が取れ、どこでも情報が手に入る。朝はアラームで起き、遠くに住む家
族と連絡をとり、行く先の地図や電車の乗り換え時間、天気を調べ、音楽を聞
いたり動画を見たり、なんだってできる。そういう便利さの一方で、生活や行
動に悪い影響はないのだろうか。

車を運転していると、前の車が青信号になっても走らない。なんだろうと見
ると、スマホを見ている。歩いている人もスマホを見ている。一日中スマホを
はなせない「スマホ依存(※2)」、下を向いて見るために起こる「スマホ首(※3)」
などの健康上の問題にもなっている。

「ながらスマホ」だけでなく、立っていても座っていても、若い人も年取っ
た人もスマホをいじって、<u>まるでその中の世界で生きているようだ</u>。スマホに
コントロールされているような気えする。そんなに使いすぎていいのか。もっ
と顔を上げて目の前にいる人と直接コミュニケーションをとるようにすべきで
はないだろうか。

（※1）欠かせない：indispensable　不可或缺的　빼놓을 수 없다
（※2）スマホ依存：smartphone addiction　痴迷玩手机　스마트폰 중독
（※3）スマホ首：text neck　手机脖子（指经常低头玩手机导致的脖颈前倾）　거북목

問1　<u>まるでその中の世界で生きているようだ</u>とあるが、筆者はどう思ったか。

1　スマホの中の世界では、年取った人も若い人と交流できるのでいいことだ。
2　生活の苦しさや大変さを忘れるためにスマホの世界に生きているのだろう。
3　スマホを使いすぎるとみんな病気になって大変なことになるだろう。
4　スマホの中ではなく、目の前にいる人ともっとコミュニケーションすべきだ。

問2　この文章の中で筆者がいちばん言いたいことはどんなことか。

1　便利さだけでなく悪い影響も考えて、スマホを使いすぎないほうがいい。
2　スマホを使って世界中の人々とコミュニケーションできるようになるといい。
3　事故を起こさないように、車の運転中はスマホを使うべきではない。
4　年取った人にももう少しコントロールしやすいスマホがあるといい。

もんだい (p.95) の答え：問1．**1**　問2．**4**

（左ページの答え→2・4）

意見文や説明文を読もう

Sentences Related to
Calculations
計算类文章
계산에 관한 문장

計算に関する文章
けいさん　かん　　　　ぶんしょう

学習日

月　　日（ ）

✿ 答え（結論）のある部分を見つけよう！
こた　けつろん　　　　　ぶぶん　　み

Identify the part of the sentence which contains the answer (the solution)!
找出答案（结论）部分！　답（결론）이 있는 부분을 찾아봅시다！

```
問題部分    →  実は →  その答え  なぜなら  →  詳しい説明  →  結論の再確認
もんだいぶぶん        じつ     （結論）   というのは     くわ  せつめい      けつろん さいかくにん
                          けつろん
```

だから
したがって
つまり
ゆえに

「実は」「だから」「したがって」
じつ
などの言葉のうしろに
ことば
注意しましょう。
ちゅうい

★計算に関する文章や数学的な文章は結論が真ん中にくることが多いです。
けいさん　かん　　　ぶんしょう　すうがくてき　ぶんしょう　けつろん　ま　なか　　　　　　　　おお

The solution tends to be in the middle of sentences which explain calculations and mathematical concepts.
计算类文章或数学类文章，结论往往在文章中间出现。　계산에 관한 문장이나 수학적인 문장은 결론이 중간에 오는 것이 많습니다.

れんしゅう 次の会話文を読んで、後の文から正しいものを選ぼう。 ▶答えは次のページの右下
つぎ　かいわぶん　よ　　　あと　ぶん　　ただ　　　　　　えら　　　　　こた　　つぎ　　　　　　みぎした

妻：この公園、広々していて気持ちいいね。ほら、雄太も圭太もあんなに走り
つま　　　こうえん　ひろびろ　　　　　きも　　　　　　　　　ゆうた　けいた
回って楽しそう。天気もいいし、おかあさんも誘えばよかった。
まわ　　たの　　　　　てんき　　　　　　　　　　　　　さそ

夫：そうだね。でも、一般の入園料が 500 円とは、ちょっと高いよね。子どもた
おっと　　　　　　　　いっぱん　にゅうえんりょう　えん　　　　　　　　　たか　　　　　こ
ちはまだ小学生だから無料なのはいいけど。あ、おふくろ（※1）の場合は、65
しょうがくせい　むりょう　　　　　　　　　　　　　　　　　ばあい
歳以上だから 250 円か。
さいいじょう　　　えん

妻：ねえ、私たち、今度、年間パスポートを買わない？　1 年間、何回来てもいいし、
つま　　　わたし　　こんど　ねんかん　　　　　　　か　　　　　ねんかん　なんかいき
パスポート、一人 2000 円だって。
ひとり　えん

夫：そうだね。4 回来れば元がとれる（※2）よね。
おっと　　　　　　かいく　もと

（※1）おふくろ：mother　母亲　어머니　　（※2）元がとれる：get one's money's worth　赚回本　본전을 찾다
もと

☐ 1　この家族は 5 人で公園に来た。
かぞく　にん　こうえん　き

☐ 2　この夫婦は、今日入園料を全部で 1000 円払った。
ふうふ　きょうにゅうえんりょう　ぜんぶ　えんはら

☐ 3　二人の子どもは中学生以下である。
ふたり　こ　　ちゅうがくせいいか

☐ 4　65 歳以上の人は、一般の入園料の半額である。
さいいじょう　ひと　いっぱん　にゅうえんりょう　はんがく

☐ 5　この公園の年間パスポートは 4 回までと回数が決まっている。
こうえん　ねんかん　　　　　　かい　　　かいすう　き

　最近、家族で時々行っている公園の入園料が値上がりした。一般は 500 円、中学生以下は無料だが、高校生以上の学生と 65 歳以上は 250 円になった。年間パスポートは、一般も 65 歳以上も 2000 円、学生は 1000 円である。何回も行くなら、年間パスポートを買ったほうが得なので、家族みんなの年間パスポートを買おうと思ったが、考えてしまった。

　実は、去年 1 年間で、私は 2 回行っただけだ。妻と子どもたち二人は 5、6 回、近くで一人暮らし(※) をしている 68 歳の母も同じくらいしか行っていないと言う。したがって、みんなが去年と同じくらいしか行かないとしたら、年間パスポートが（　　　）。しかも、来月から高校生になる上の子にもパスポート代がかかることになる。

　しかし、年間パスポートを買うと、私も元をとろうと思って、何回も行くかもしれない。公園散歩は健康にもいいし、家族と過ごす時間も重要だ。やはり、今度行ったときに4人分の年間パスポートを買うことにしよう。

（※）一人暮らし：living alone　独自生活　자취

問1　（　　　）に入る言葉として最も適当なものはどれか。

　1　少しだけの得になるだろう
　2　決して得とは言えない
　3　大きな損になると言えない
　4　結果として、損にも得にもならない

問2　4人分の年間パスポートを買う場合、いくらになるか。

　1　5000 円
　2　6000 円
　3　7000 円
　4　8000 円

もんだい（p.97）の答え：問1．**4**　問2．**1**　　　（左ページの答え→2・3・4）

医学に関する文章

<ruby>医<rt>い</rt></ruby><ruby>学<rt>がく</rt></ruby>に<ruby>関<rt>かん</rt></ruby>する<ruby>文<rt>ぶん</rt></ruby><ruby>章<rt>しょう</rt></ruby>

Medical Sentences
医学类文章
의학에 관한 문장

学習日

月　　日（　　）

✿ 話し言葉、書き言葉の違いに注意しよう！

<ruby>話<rt>はな</rt></ruby>し<ruby>言<rt>こと</rt></ruby><ruby>葉<rt>ば</rt></ruby>、<ruby>書<rt>か</rt></ruby>き<ruby>言<rt>こと</rt></ruby><ruby>葉<rt>ば</rt></ruby>の<ruby>違<rt>ちが</rt></ruby>いに<ruby>注<rt>ちゅう</rt></ruby><ruby>意<rt>い</rt></ruby>しよう！

Pay attention to the difference between spoken and written language!
注意口头语和书面语的差异！　구어체와 문어체의 차이에 주의합시다！

バラの<ruby>花<rt>はな</rt></ruby>は、
ただ<ruby>咲<rt>さ</rt></ruby>いているだけで
<ruby>美<rt>うつく</rt></ruby>しいんです。

（〜んです＝のである）

★ 「のだ・のである」は<ruby>結<rt>けつ</rt></ruby><ruby>論<rt>ろん</rt></ruby>によく<ruby>使<rt>つか</rt></ruby>われます。

'no da' and 'no de aru' are often used in the conclusion.
「のだ・のである」经常出现在结论中。「のだ・のである」는 결론에 자주 쓰입니다.

よく使われる表現			
◆ 〜の。	〜んだ。 〜んです。	〜のです。	〜のだ。 〜のである。
◆ 〜の？	〜んですか？	〜のですか？	〜のか？
◆ 〜のかな？	〜んだろうか？ 〜んでしょうか？	〜のでしょうか？	〜のだろうか？ 〜のであろうか？

れんしゅう <ruby>次<rt>つぎ</rt></ruby>の<ruby>会<rt>かい</rt></ruby><ruby>話<rt>わ</rt></ruby><ruby>文<rt>ぶん</rt></ruby>を<ruby>読<rt>よ</rt></ruby>んで、<ruby>後<rt>あと</rt></ruby>の<ruby>文<rt>ぶん</rt></ruby>から<ruby>正<rt>ただ</rt></ruby>しいものを<ruby>選<rt>えら</rt></ruby>ぼう。 ▶<ruby>答<rt>こた</rt></ruby>えは<ruby>次<rt>つぎ</rt></ruby>のページの<ruby>右<rt>みぎ</rt></ruby><ruby>下<rt>した</rt></ruby>

<ruby>医<rt>い</rt></ruby><ruby>者<rt>しゃ</rt></ruby>：どうしました？

<ruby>患<rt>かん</rt></ruby><ruby>者<rt>じゃ</rt></ruby>：あの、<ruby>風<rt>かぜ</rt></ruby><ruby>邪<rt></rt></ruby>を<ruby>引<rt>ひ</rt></ruby>いたみたいで……。<ruby>熱<rt>ねつ</rt></ruby>はそんなにないんですが、<ruby>咳<rt>せき</rt></ruby>がひどいんです。

<ruby>医<rt>い</rt></ruby><ruby>者<rt>しゃ</rt></ruby>：<ruby>咳<rt>せき</rt></ruby>ねー。<ruby>咳<rt>せき</rt></ruby><ruby>止<rt>ど</rt></ruby>め（※）を<ruby>飲<rt>の</rt></ruby>むとそのときは<ruby>止<rt>と</rt></ruby>まるんだけど、また<ruby>出<rt>で</rt></ruby>てくるんですよ。それより、うがい<ruby>薬<rt>ぐすり</rt></ruby>を<ruby>出<rt>だ</rt></ruby>しておくから、よくうがいをするように。<ruby>熱<rt>ねつ</rt></ruby>が<ruby>下<rt>さ</rt></ruby>がらなかったら、<ruby>来<rt>らい</rt></ruby><ruby>週<rt>しゅう</rt></ruby>の<ruby>月<rt>げつ</rt></ruby><ruby>曜<rt>よう</rt></ruby><ruby>日<rt>び</rt></ruby>にもう<ruby>一<rt>いち</rt></ruby><ruby>度<rt>ど</rt></ruby>いらっしゃい。

<ruby>患<rt>かん</rt></ruby><ruby>者<rt>じゃ</rt></ruby>：はい、わかりました。

（※）<ruby>咳<rt>せき</rt></ruby><ruby>止<rt>ど</rt></ruby>め：a cough medicine　止咳　기침약

☐ 1 <ruby>患<rt>かん</rt></ruby><ruby>者<rt>じゃ</rt></ruby>は、<ruby>熱<rt>ねつ</rt></ruby>が<ruby>高<rt>たか</rt></ruby>い。

☐ 2 <ruby>患<rt>かん</rt></ruby><ruby>者<rt>じゃ</rt></ruby>は<ruby>熱<rt>ねつ</rt></ruby>より<ruby>咳<rt>せき</rt></ruby>でつらいようだ。

☐ 3 <ruby>医<rt>い</rt></ruby><ruby>者<rt>しゃ</rt></ruby>は<ruby>患<rt>かん</rt></ruby><ruby>者<rt>じゃ</rt></ruby>に<ruby>咳<rt>せき</rt></ruby><ruby>止<rt>ど</rt></ruby>めを<ruby>出<rt>だ</rt></ruby>すつもりである。

☐ 4 <ruby>咳<rt>せき</rt></ruby><ruby>止<rt>ど</rt></ruby>めを<ruby>飲<rt>の</rt></ruby>んでも、<ruby>完<rt>かん</rt></ruby><ruby>全<rt>ぜん</rt></ruby>には<ruby>咳<rt>せき</rt></ruby>がなくならない。

☐ 5 <ruby>医<rt>い</rt></ruby><ruby>者<rt>しゃ</rt></ruby>は<ruby>患<rt>かん</rt></ruby><ruby>者<rt>じゃ</rt></ruby>にうがいを<ruby>勧<rt>すす</rt></ruby>めている。

もんだい 次の文章を読んで、後の問いに答えなさい。 ▶答えは p.103 🔊 No.43

＊部分翻訳や解説は別冊 p.13

風邪を引くと、咳が出たり熱が出たりする。以前は、熱が出ると熱を下げるために注射をしたり、咳が出ると咳止めの薬を飲んだりしたものだ。しかし、近年、風邪の治療(※1)に対する考え方がちょっと変わってきた。

熱が出ても、無理にそれを下げることはしないほうがよいと言われるようになった。なぜなら、風邪の原因であるウイルス(※2)は熱に弱く、そのウイルスを退治しよう(※3)として体が熱くなるからだ。こういうとき、無理に熱を下げてしまうと、ウイルスは逆に活発(※4)になってしまい、（　　　　　）ということがわかってきたのだ。

咳についても同じようなことが言える。ウイルスを早く体内から追い出そうとするために咳が出るのだ。だから、薬で咳をおさえてしまうのは逆効果になるということだ。

つまり、風邪の薬はできるだけ飲まないほうがよいのである。熱は下がるまで待ち、咳も出るのは仕方がない。そのうちに自然に治る。とはいっても、高い熱や咳で苦しむのはつらい。やはり、風邪にはかからないようにしたいものである。

（※1）治療：a treatment　治疗　치료　　（※2）ウイルス：a virus　病毒　바이러스

（※3）退治する：to get rid of　治好　퇴치하다　　（※4）活発：active　活跃　활발

問1 （　　　　　）の中に入る言葉として最も適当なものはどれか。

1　病気がひどくなる　　　　　　2　熱が下がらない

3　ウイルスが体内から出る　　　4　風邪を引いてしまう

問2 筆者が言いたいことは何か。

1　最近のウイルスは熱に強くなってきた。

2　最近の風邪薬は効かなくなってきた。

3　風邪で、医者に行くのは無駄である。

4　風邪を治すためには、薬を飲まないほうがいい。

もんだい (p.99) の答え：問1．**2**　問2．**3**　　　　　（左ページの答え→2・4・5）

意見文や説明文を読もう

社会に関する文章

しゃかい　かん　　　ぶんしょう

Sentences on Social Issues
社会类文章
사회에 관한 문장

✿ 複雑な文章を単純にして理解しよう！
ふくざつ　ぶんしょう　たんじゅん　　　　　りかい

Learn to simplify sentences!
用简单的方式理解复杂的文章！
복잡한 문장을 단순화시켜 이해해 봅시다！

```
┌─────────────────────────────────────┐
│ 私はそういうふうに見えないかもしれないし、 │
│ わたし　　み                          │
│ なりたくてなったわけではないが教師です。   │
│                           きょうし     │
└─────────────────────────────────────┘
                  ↓
┌─────────────────────────────────────┐
│         私は教師です。                  │
│         わたし　きょうし               │
└─────────────────────────────────────┘
```

私は
わたし
教師です。
きょうし

★難しく見える文も、飾りの部分を省くと単純な文章になります。
　むずか　み　　ぶん　かざ　ぶぶん　はぶ　　たんじゅん　ぶんしょう

Even complex sentences become simple when all the padding is removed.
把看起来很难的文章省略其中修饰的部分后，文章就变得简单了。어려워 보이는 문장도 꾸며 주는 부분을 생략하면 단순한 문장이 됩니다．

<table>
<tr><td rowspan="5">よく使われる表現</td><td>◆ 就職する
しゅうしょく</td><td>to get a job</td><td>就业</td><td>취직하다</td><td>◆ 契約する
けいやく</td><td>enter a contract</td><td>签约</td><td>계약하다</td></tr>
<tr><td>◆ 正社員
せいしゃいん</td><td>a permanent employee</td><td>正式员工</td><td>정식 사원</td><td>⇔ 非正規社員
ひ せい き しゃいん</td><td>non-regular employee</td><td>非正式员工</td><td>비정규직</td></tr>
<tr><td>◆ 派遣社員
は けんしゃいん</td><td>temporary staff</td><td>派遣员工</td><td>파견 사원</td><td>◆ 登録する
とうろく</td><td>register</td><td>注册</td><td>등록하다</td></tr>
<tr><td>◆ 雇う
やと</td><td>to hire　聘用　고용하다</td><td></td><td></td><td>◆ 採用する
さいよう</td><td>hire　录用　채용하다</td><td></td><td></td></tr>
</table>

れんしゅう　次の会話文を読んで、後の文から正しいものを選ぼう。
つぎ　かいわぶん　よ　　あと　ぶん　ただ　　　　えら

▶答えは次のページの右下
こた　つぎ　みぎした

> Ａさん：今まで３年の契約社員だったけど、来年の１月から、やっと正社員にな
> いま　　ねん　けいやくしゃいん　　　　らいねん　がつ　　　　　　　せいしゃいん
> れるんだ。給料もけっこう上がるし、これで安定する（※）から、彼女との
> きゅうりょう　　　　あ　　　　　　あんてい　　　　　　　かのじょ
> 結婚も考えようかな。
> けっこん　かんが
>
> Ｂさん：いいなあ。おれはまだバイト生活。将来の生活が不安だよ。
> せいかつ　しょうらい　せいかつ　ふあん
>
> Ａさん：今度、派遣会社に登録してみたら？　パソコンの資格もあるんだから、
> こんど　は けんがいしゃ　とうろく　　　　　　　　　　　　　しかく
> いい会社を紹介してくれると思うよ。
> かいしゃ　しょうかい　　　　　おも

（※）安定する：stabilize　稳定　안정되다
　　あんてい

☐1　Ａさんは、今勤めている会社の正社員である。
　　　　　　　いまつと　　　　かいしゃ　せいしゃいん

☐2　Ａさんは、正社員になるために新しい会社に就職する。
　　　　　　　せいしゃいん　　　　　　あたら　かいしゃ　しゅうしょく

☐3　Ａさんは、付き合っている女性がいる。
　　　　　　　つ　あ　　　　　じょせい

☐4　Ｂさんは、将来の生活が不安なので、バイト生活をしている。
　　　　　　　しょうらい　せいかつ　ふあん　　　　　　　せいかつ

☐5　Ｂさんは、パソコンを使うことができる。
　　　　　　　　　　　　つか

もんだい 次の文章を読んで、後の問いに答えなさい。 ▶答えは p.105 🔊 No.44

＊部分翻訳や解説は別冊 p.13 ～ 14

第1週 第2週 第3週 第4週 第5週 第6週

　派遣会社とは、登録された人を会社に紹介し派遣する会社です。派遣された社員（派遣社員）は、実際に働く会社の社員ではなく、派遣会社の社員です。会社と契約した金額が派遣会社に支払われ、派遣社員の給料はその中から支払われます。

　以前、日本は正社員がほとんどでしたが、現在の日本では正社員より派遣社員の方が多いという会社も珍しくありません。会社は、必要としているスキル(※1)を持っている人を紹介してもらうことができ、また、社会保険料(※2)や将来の給料アップなどのような費用がかからない派遣社員を多く雇うことは、都合がいいことなのでしょう。

　派遣社員として働く人にとってはどうでしょうか。期間を限定して働きたい人や色々な会社で経験を積みたい人にとっては、メリット(※3)がある働き方と言えるでしょう。しかし、時給はよくても、交通費が出ない会社が多く、ボーナスが出ることもめったにないようです。また、年を取ると、いい会社を紹介してもらうことも難しくなります。正社員より、将来の生活に不安を感じる人も多いと思います。

（※1）スキル：skill　技能　스킬　　（※2）社会保険料：social insurance premium　社会保険費　사회 보험료

（※3）メリット：advantage　好処　장점　⇔デメリット：disadvantage　坏处　단점

問1　会社にとって、派遣社員を雇うメリットは何か。

　1　派遣社員は正社員より能力がある。

　2　派遣社員は時給が安い。

　3　派遣社員の給料を下げることができる。

　4　派遣社員には、社会保険料などの費用がかからない。

問2　この文章で筆者が最も言いたいことは何か。

　1　派遣社員として働くことには、デメリットもある。

　2　できるだけ派遣会社に登録しないほうがいい。

　3　正社員が多い会社は、将来安心である。

　4　将来を考えると、色々な会社で働ける派遣社員は得である。

もんだい（p.101）の答え：問1．**1**　問2．**4**

（左ページの答え→3・5）

まとめの問題

Summary questions　綜合問題　정리 문제

制限時間：15分
1問20点×5問
答えは p.106
部分翻訳や解説は別冊 p.14

点数
／100

🔊 No.45

問題1　つぎの文章を読んで、あとの質問に答えなさい。答えは、1・2・3・4から最もよいものを一つえらびなさい。

（前略）人は睡眠中に、極（※1）浅い眠り、浅い眠り、中くらいの眠り、深い眠りの四段階の眠りをします。この四段階の眠りをノンレム睡眠といいますが、ノンレム睡眠の次にもう一つの眠りがきます。これが、レム睡眠です。（中略）七〜八時間の睡眠のうち、ノンレム睡眠とレム睡眠を何回か繰り返しますが、①夢を見るのはレム睡眠のときだけです。

（　②　）のときにはいつでも夢を見ていますが、その夢を覚えているのは、夢を見た後約八分だけだそうです。この間に目が覚めれば覚えているのですが、そのまま眠り続けてしまえば、夢を見たことすら（※2）忘れてしまいます。だから、ぐっすり熟睡（※3）して浅い眠りから深い眠りへすぐ移行して（※4）しまうと、夢はあまり見ません。

また、（　③　）が長くなると夢を見ている時間が長くなります。眠る時間が長ければレム睡眠の長さも延びますが、同じ時間寝ていても、強いストレス（※5）を受けているときのほうがレム睡眠が長くなるそうです。それに、ストレスを受けているときにはウツウツとして（※6）よく眠れず、目が覚めやすいということもあります。そういえば、テストの前とか仕事がうまくいかないときとか、ふられた（※7）ときとか、イヤーなことがあったときによく夢を見たなと、思い当たりませんか。

アメリカで行なわれた実験でも、④夢をあまり見ない人というのは、楽天的（※8）で自我があまり強くない人（※9）という結果が出ているそうです。何も考えず、バタンキュー（※10）と眠ってしまうのが、最上の眠りのようです。

（竹内均『頭にやさしい雑学読本⑦ ちょっと意外なお茶の間の科学』同文書院より　一部改変）

（※1）極：とても　　　　　　　　　　（※2）〜すら：〜さえ

（※3）熟睡：ぐっすり眠ること　　　　（※4）移行する：うつっていく

（※5）ストレス：肉体的、精神的緊張

（※6）ウツウツとする：よく眠れないようす

（※7）ふられる：（好きな相手に）嫌われる、あるいは、何かを断られること

（※8）楽天的：何事にも明るくいい方向に考えるようす

（※9）自我が強くない人：自分というものを強く出さない人

（※10）バタンキュー：すぐに眠ってしまうようす

---

1 ①夢を見るのはどんなときか。

1　レム睡眠のとき

2　ノンレム睡眠のとき

3　深い眠りのとき

4　7〜8時間寝たとき

2 （　②　）（　③　）に入る言葉として適当な組み合わせのものはどれか。

1　②ノンレム睡眠　　③レム睡眠

2　②ノンレム睡眠　　③ノンレム睡眠

3　②レム睡眠　　③レム睡眠

4　②レム睡眠　　③ノンレム睡眠

3 筆者によれば、④夢をあまり見ない人はどんな人か。

1　睡眠時間が長い人

2　睡眠時間が短い人

3　いろいろなことに悩む人

4　いろいろなことに悩まない人

4 ストレスの多い人について、正しいものはどれか。

1　ストレスの多い人ほどレム睡眠が短い。

2　ストレスの多い人ほど睡眠時間が長い。

3　ストレスの多い人ほど睡眠時間が短い。

4　ストレスの多い人ほどよく夢を見る。

もんだい（p.103）の答え：問1．4　問2．1

つぎの文章を読んで、あとの質問に答えなさい。答えは、1・2・3・4から最もよいものを一つえらびなさい。

🔊 No.46

　信号待ちで止まった。前の車はウィンカー(※1)を出していない。真っすぐ行くのだろうか。いや、真っすぐのわけがない、T字路(※2)なんだから。あ、右だったか。曲がると同時に右に1回だけウィンカーが点滅した(※3)。違反して(※4)いませんよ、出しましたよ、とでも言うように。しかし、曲がる直前や曲がりながらのウィンカーに意味があるのだろうか。早くからウィンカーを出しているとかっこ悪い？　面倒くさい？　もしかして、知らせたくない？　いやいや、知らせないと危ないでしょう。最近、こういう車が多い。次にどこへ行くのか、何をするのか周りの車に知らせるためのウィンカー、正しく使って安全運転しましょうよ。

（※1）ウィンカー：車が右や左に行くことを知らせるライト
（※2）T字路：Tの字の形の道路
（※3）点滅する：ライトがついたりきえたりすること
（※4）違反する：交通ルールを守らないこと

　5　こういう車とは、どういう車か。

　　1　ウィンカーを直前まで出さずに曲がる車
　　2　信号待ちで少しずつ前に動き出す車
　　3　T字路を曲がらずに真っすぐ行く車
　　4　早くからウィンカーを出している車

模擬試験
もぎしけん

〉 ───────────────────────────────── 〈

答え・問題の部分翻訳・解説は別冊にあります。
こた　　もんだい　　ぶぶんほんやく　　かいせつ　　べっさつ

Answers, translations of excerpted sentence and explanations can be found in the separate booklet.
答案・问题的读解文的一部分翻译・解说在附录的别册里。
대답・발췌 문장의 번역・해설은 별책에 있습니다.

制限時間：50分
答え・部分翻訳・解説は別冊 p.15 ～ 17

点数
／100

模擬試験

問題1　つぎの（1）と（2）の文章を読んで、質問に答えなさい。答えは、１・２・３・４
から最もよいものを一つえらびなさい。　　　　　　　　　　　　　（4問×6点）

（1）

🔊)) No.47

> ### 水道局からのお知らせ
>
> このたびお客様の地域で水道工事を行います。これに伴って、下記日時において、水道水がにごる場合があります。ご迷惑をおかけしますが、その間は、できるだけ水道のご使用をなさらぬようお願いします。
>
> 　　　日時　20XX 年3 月19 日（日）
> 　　　　　　13：00 から 17：00 ごろまでの間
> 　　　　＊雨天の場合……小雨の場合は決行　大雨の場合は延期
>
> ★飲み水や料理などで水を使う場合は、前もって、くんでおいた水を使用してください。
> ★工事時間中は、風呂の水をためるなどして水の流しっぱなしにはしないでください。
> ★工事が終わったあと、しばらく水がにごっている場合もあります。きれいな水になったことを確認してからお使いください。

1　このお知らせを読んだあとの正しい理解はどれか。

1　水道工事時間中に、シャワーを浴びてもいい。
2　水道工事時間中は、料理をしてはいけない。
3　水がきれいになったか、水道局に確かめないとわからない。
4　大雨でなければ、水道工事は行われるようだ。

2　このお知らせで最も言いたいことはどれか。

1　水道工事中の水は必ずにごるのでその間は絶対に使わないでほしい。
2　水道工事のせいで水がにごることがあるが、その水は飲まないようにしてほしい。
3　17：00 になったら、水はにごっていないので安心して使える。
4　大雨が降って水道工事ができない場合は延期のお知らせをする。

（2）

皆さま

ご存じのように、先日、私たちの友人である加藤太郎さんと山本恵さんが結婚されました。海外での結婚式で、日程の調整をして私も中村さんも参加しようと思っていたのですが、親族（※）だけということで、友人たちは参加できませんでした。つきましては、私たちが友人代表として、二人の新しい人生の出発をお祝いしたいと思いパーティを計画しています。

場所は原宿の「アンブレット」というレストランを予定しています。今なら、6月の第2土曜日、第2日曜日、第3土曜日、第4日曜日、いずれも午後1時から5時までなら予約可能です。早く決めないといけないので、参加できる場合は、上記の中で参加可能な日を書いて、4月10日までに田中愛子まで返信をお願いします。会費は一万円です。二人へのプレゼントはこの中から用意したいと思っていますが、少しプラスになるかもしれません。その場合は、プレゼントの内容とあわせて、前もってお知らせするようにします。

田中愛子
中村あゆみ

（※）親族：親、兄弟姉妹、親せきなど血のつながりのある関係の人たち

3 田中さんは、なぜ加藤さんと山本さんの結婚式に出席しなかったのか。

1　友人は参加できなかったから。

2　海外までは行くのは大変だったから。

3　日程の調整ができなかったから。

4　あとで彼らのためにパーティを開く予定だったから。

4 このメールで田中さんが最も言いたいことは何か。

1　結婚式に参加できなかったから、いつかお祝いのパーティを開きたい。

2　パーティは土曜日がいいか日曜日がいいかみんなの意見を聞きたい。

3　メールに書いた中で、みんなのパーティに参加可能な日を知りたい。

4　会費が一万円を超えるかもしれないが、その場合は知らせる。

問題2 つぎの（1）と（2）の文章を読んで、質問に答えなさい。答えは、1・2・3・4から最もよいものを一つえらびなさい。 （4問×7点）

（1）

🔊 No.49

欧米で人気の自転車通勤。CO₂の発生をおさえ、国民が健康になり、道路の渋滞(※1)もなくなるということで日本でも注目されてはいるが、まだまだ実現は難しそうで、通勤どころか、ちょっと近所まで乗っていくだけでも危なっかしく見える人も多い。

自転車は道路のどこを走ったらいいのだろう。信号が青になったら、どうやって進めばいいのか。横断歩道を渡る時、自転車は降りないといけないのか。私はふだん自転車に乗らないが、歩いていても車を運転していても、いつも①わからなくなる。それだけでなく、見ていてハラハラする(※2)し、怖い思いをすることもある。実際に事故も多い。

警官が自転車に乗っている人を止めて注意したり、安全のためにヘルメットをかぶるように言ったり、保険に入る(※3)ようにすすめたりしているが、もっとその前に②やるべきことがあるように思う。欧米のように自転車が安心して走れる道路を増やすとか、乗る人に交通規則をきちんと教えるとか。

（※1）渋滞：車がいっぱいで進まないこと　　　（※2）ハラハラする：心配するようす
（※3）保険に入る：お金を払っておいて、事故が起きた時ももらえるようにすること

5 ①わからなくなるとは、何がわからないのか。

1　自転車の乗り方の規則
2　CO₂と健康との関係
3　警官がする注意や説明
4　自転車事故が起こる原因

6 ②やるべきこととは、どのようなことか。

1　道路を広げて渋滞をなくすこと
2　会社や社員に自転車通勤をすすめること
3　安全に自転車に乗れるような状況をつくること
4　自転車に乗る人にヘルメットをかぶらせること

110

（2）

　先日、「鉄道忘れ物市」というのがニュースで紹介されていました。電車や駅で忘れられた物が、決められた期間を過ぎると、専門の業者^{（※1）}に買われて、販売されるのだそうです。きれいにクリーニングや修理などされて、とても安い値段で買えると①評判です^{（※2）}。

　ここで売られている忘れ物の中で一番多いのは傘だそうです。忘れたとわかったとき、駅に問い合わせてもどうせ見つからないだろうとあきらめてしまう場合が多いからでしょう。私も以前、買ったばかりの折り畳み傘や展覧会のポスター、お土産などいろいろな物を駅や電車に忘れましたが、見つからないだろうと簡単にあきらめてしまったことを今でもちょっと②後悔して^{（※3）}います。私の忘れ物も「忘れ物市」に並んでいたのかなあと。

　業者さんによると、高価なブランドの傘が欲しければ、この市に行くと安く手に入るとか。ほかにおすすめのお買い得品はスマホの充電ケーブルやUSBコード、イヤホン、特にワイヤレスイヤホンは人気があって、すぐに売り切れてしまうらしいです。

（※1）業者：売り買いなどの仕事をする人　　（※2）評判だ：みんなが言っている
（※3）後悔する：前にしたことをあとで残念に思うこと

| 7 | ①評判ですとあるが、何が評判なのか。 |

1　鉄道忘れ物市
2　専門の業者
3　クリーニングや修理
4　ブランドの傘

| 8 | ②後悔していますとは、何を後悔しているのか。 |

1　鉄道忘れ物市に行かなかったこと
2　買ったばかりの傘を電車に忘れたこと
3　忘れ物を駅に問い合わせなかったこと
4　鉄道忘れ物市に自分の忘れ物がなかったこと

模擬試験

111

問題3 つぎの文章を読んで、質問に答えなさい。答えは、１・２・３・４から最もよいもの を一つえらびなさい。 （4問×8点）

🔊 No.51

　みなさんはレンタカーを利用したことがありますか。では、「レンタルさん」は？

　レンタカーというのは車をレンタルする、つまり、代金を払ってしばらく借りること ですね。「レンタルさん」は車などの〈物〉ではなくて、〈人〉です。人を借りるのです。

　私は「聞くだけレンタルさん」という会の会員で、レンタル〈される〉人として登録 料を払っています。レンタル〈する〉人を紹介されると、その人に会って、話をただ聞 く人になります。その人が困っていることの相談相手になるとか、アドバイスをすると か、そういうことではなく、ただだまって聞くだけです。話の内容はたいていは愚痴(※) です。レンタルした人は好きなだけ話をすると気持ちがすっきりするそうです。

　話を聞いて欲しいなら、友達や家族にすればいいと思う人もいるでしょう。でも、親 しい人に話すと、人間関係がこわれてしまう場合があります。または、近すぎて、言い にくいこともあるでしょう。そこで、お金がかかっても関係のない人に愚痴を言うとい うわけです。これなら、人間関係が悪くなることもありませんよね。

　今、「聞くだけレンタルさん」の「レンタルさん」は80人ぐらいいますが、みんな お金のために会員になっているのではないと思います。月5千円の登録料を払って、１ 時間千円もらってたまにレンタルされるのでは、入るお金に期待はできません。では、 なぜ①こんなことをしているのか。私の場合は、だれかの役に立っているのがうれしい のです。

　「聞くだけレンタルさん」のほかにも、何もせずに一緒にいるだけのレンタルさんな ど色々なのがあるそうですが、レンタルされる人たちはやはり私と②同じような理由で 登録しているようです。

（※）愚痴：言ってもしかたないことを言うこと

9 この文章で筆者が伝えたいことは何か。

1 有料で人をレンタルしたりされたりするサービスがあることについて。

2 無料で友達や家族の人間関係がよりよくなるようにする方法について。

3 「レンタルさん」は登録料が高いのに収入が少ないということについて。

4 「レンタルさん」は何もせずに楽にお金がかせげるということについて。

10 「聞くだけレンタルさん」を利用する人は、なぜ知らない人に話をするのか。

1 できるだけ多くの人たちに自分の話を聞いてほしいから。

2 友達や家族や知っている人には、もう話をしてしまったから。

3 知らない人だと、話をしても人間関係がこわれることがないから。

4 知らない人だと、友達や家族よりもいいアドバイスがもらえるから。

11 ①こんなこととは、どんなことか。

1 お金をためるために登録料を払ってでも人の相談相手になること

2 大してお金にならないのに、登録料を払って人の愚痴を聞くこと

3 いろいろな「レンタルさん」を考えて、人の役に立とうとすること

4 困っている人の相談相手になったり、アドバイスしたりすること

12 ②同じような理由とあるが、どういう理由か。

1 人の愚痴を聞いていると、気持ちがすっきりするということ

2 知らない人と会って、親しくなれるかもしれないということ

3 大したことをしなくても楽にお金が入ってくるということ

4 人の役に立っていると感じられるのがうれしいということ

模擬試験

113

問題4 下の文章_{ぶんしょう}と次のページを見て、下の質問に答えなさい。答えは、１・２・３・４から
最もよいものを一つえらびなさい。 （２問×８点）

🔊)) No.52

> 昨日、ある会合_{かいごう}(※1)で、大谷_{おおたに}さんがインターネットで注文したお弁当を食べました。
> 大谷_{おおたに}さんは、みんなのお弁当の感想を聞きながらレビュー(※2)を書いています。み
> んなの感想は、安い割_{わり}に味は満足だというものでした。量については少なかったと
> いう意見が多かったです。

（※１）会合_{かいごう}：集まり　　　　（※２）レビュー：感想や意見

13 大谷_{おおたに}さんが書いた「味」「量」「値段」の★は次のどれか。下の「★の表」を見て答えなさい。

1 （１）と（７）と（13）

2 （１）と（８）と（15）

3 （２）と（９）と（12）

4 （２）と（６）と（11）

味について	量について	値段について
★★★★★（１）	★★★★★（６）	★★★★★（11）
★★★★☆（２）	★★★★☆（７）	★★★★☆（12）
★★★☆☆（３）	★★★☆☆（８）	★★★☆☆（13）
★★☆☆☆（４）	★★☆☆☆（９）	★★☆☆☆（14）
★☆☆☆☆（５）	★☆☆☆☆（10）	★☆☆☆☆（15）

14 次の文で正しいのはどれか。

1 ポイントがほしい場合は、★の数を多くしたほうがいい。

2 レビューを書いて30日後なら、ポイントを使うことができる。

3 大谷_{おおたに}さんは、量が少なかったのでもう注文しないつもりだ。

4 感想を書いても☆印に記入がない場合、ポイントはもらえない。

大谷様

先日は当店のお弁当を注文していただき、ありがとうございました。

昨日、お届けしたお弁当はいかがでしたか。

今後の参考のために、レビューをお願いしています。

◆レビューを書いた全員の方に 300 ポイントをプレゼント！

◆このポイントは次回の注文時より使えます。

〈ご注意〉このポイントの有効期限は、今回のお弁当が配達された日から 30 日以内です。

レビューを書く　←ここをクリックしてください。

レビューページ

●☆をクリックして★の数をお知らせください。

（★は多いほうがいい評価(※)になります。）

味について　　☆☆☆☆☆

量について　　☆☆☆☆☆

値段について　☆☆☆☆☆

〈ご注意〉記入がない場合、このレビューページは無効になります。

●感想、ご意見を書いてください。

書き終えたら右の送信ボタンを押してください。→　送信

（※）評価：感想や意見

イラスト	花色木綿
翻訳・翻訳校正	Rory Rosszell／石川慶子／株式会社アミット（英語）
	株式会社シー・コミュニケーションズ／株式会社アミット（中国語）
	李銀淑／株式会社アミット（韓国語）
ナレーション	菊本平／田中杏沙
編集協力・ＤＴＰ	株式会社明昌堂
装丁	岡崎裕樹
印刷・製本	株式会社光邦

「日本語能力試験」対策

日本語総まとめ N3 読解［増補改訂版］

2010 年 10 月 31 日　初版　第 1 刷発行
2023 年　5 月 25 日　増補改訂版　第 1 刷発行

著　者	佐々木仁子・松本紀子
発　行	株式会社アスク
	〒162-8558　東京都新宿区下宮比町 2-6
	TEL　03-3267-6864
発行人	天谷修身

アンケートにご協力ください

PC https://www.ask-books.com/support/　Smartphone

N3 読解
どっかい

別冊
べっさつ

- ▶ **もんだい** ［部分翻訳や解説］
  ぶ ぶんほんやく かいせつ

- ▶ **まとめの問題** ［部分翻訳や解説］
  もんだい ぶ ぶんほんやく かいせつ

- ▶ **模擬試験** ［答え］、［部分翻訳や解説］
  も ぎ し けん こた ぶ ぶんほんやく かいせつ

1日目 (p.12 〜 13)

もんだい

〈翻訳〉

＊ただし祝日と重なった場合は火曜日が休館

If Monday falls on a national holiday, the library will be closed on Tuesday

但是若周一是节假日，则改为周二休息

단, 경축일과 겹쳤을 때에는 화요일이 휴관

＊なお、10月1日より10日までは午後臨時で休館します。

Please note that the library will be temporarily closed from October 1st until October 10th.

从10月1日到10日期间，下午将临时暂停开放。

아울러, 10월 1일부터 10일까지 임시로 휴관합니다.

2日目 (p.14 〜 15)

もんだい

〈翻訳〉

＊4行目

その角から4軒向こうのビルの地下です。

You'll find it in the basement of the fourth building from the corner.

从那个拐角起再往前，第4栋大楼的地下层就是。

그 길모퉁이부터 4 번째 건물의 빌딩의 지하입니다.

＊最後の行

ビルの前の道路は一方通行になっています。

The building is on a one-way street.

大楼前面的道路是单向通行。

빌딩이 접한 도로는 일방통행입니다.

〈問2の解説〉

4つ目の信号からドラッグストアまで100メートル離れている。

The drug store is 100 meters from the fourth traffic light.

第四个红绿灯离药房有100米的距离。

약국은 4 번째의 신호등에서 100 미터 정도 떨어져 있다.

3日目 (p.16 〜 17)

もんだい

〈翻訳〉

＊最後の行

お代わり自由

free refills / bottomless cup　免费续杯

추가로 같은 음식을 더 먹는 것이 무료임

〈問1の解説〉

飲み物だけ注文した場合は、アイスクリームのサービスはない。

You will not receive free ice-cream with your drinks unless you also order some food.

如果只点饮料，就没有免费的冰淇淋。

음료수만 주문한 경우에는 아이스크림 서비스는 없다.

4日目 (p.18 〜 19)

もんだい

〈翻訳〉

＊本文の3行目

ただし、P.35 〜 39 は除きます。

Note that this excludes p.35-39.　但是不包括 P.35 〜 P.39

단, 35 페이지부터 39 페이지까지는 제외합니다.

＊本文の10 〜 12行目

なお、病気などの理由で試験が受けられなかった場合は、上記のレポートとは別にレポートを提出しなければなりません。

If you are unable to take the test due to illness or other circumstances, you must submit a separate report in addition to the report described above.

如果因疾病等原因而不能参加考试时，除上述论文之外，还必须另外提交一份论文。

아울러, 질병 등으로 말미암아 시험을 보지 못한 경우는, 위

の リポートわは別途にレポートを提 出しなければなりません .

5日目　（p.20 〜 21）

もんだい

〈翻訳〉
ほんやく

＊1 行目
ぎょう め
やる気のある方歓迎！
き かたかんげい
Looking for motivated individuals!　欢迎有干劲的人！

의욕이 있는 분 환영

＊2 行目
ぎょう め
商 品の管理
しょうひん かんり
inventory　商品管理　상품 관리

＊8 行目
ぎょう め
電話連絡の上、面接
でんわれんらく うえ めんせつ
Contact us by phone to set up an interview

来电联系后进行面试　전화연락 후 면접

〈問 2 の解説〉
とい かいせつ
面接のときに履歴書が必要である。
めんせつ りれきしょ ひつよう
A resume must be brought to the interview.

面试时需要履历表。　면접할 때에 이력서가 필요하다 .

6日目　（p.22 〜 23）

もんだい

〈翻訳〉
ほんやく

＊広告の右下
こうこく みぎした
バス・トイレ別
べつ
a separate bathroom and toilet　浴室・洗手间分开

목욕탕・화장실이 별도

〈問 2 の解説〉
とい かいせつ
毎月払うのは 104,000 円（家賃 100,000 円＋管
まいつきはら えん やちん えん かん
理費 4,000 円）である。
りひ えん

問題 1

〈翻訳〉
ほんやく
＊2 つ目の●
め
チェックイン予定時間を過ぎるとキャンセルとして
よていじかん す
取り扱われることがございます。
と あつか
A cancellation fee may be charged if you do not show up

by the expected time.

超过入住登记的预定时间，会被视为取消住宿。

체크인 예정 시간이 지나면 숙박 취소로 처리될 수 있습니다 .

第 2 週

1日目　（p.28 〜 29）

もんだい

〈翻訳〉
ほんやく
＊広告のまん中あたり
こうこく なか
質のいい羊の革を使って軽さを追求した結果、こ
しつ ひつじ かわ つか かる ついきゅう けっか
こまで軽くなりました。
かる
By using the finest sheepskin, we are able to make this bag

even lighter.

采用优质羊皮来追求轻巧，所以才会有这么轻的皮包。

품질이 좋은 양의 가죽을 사용하여 경량화를 추구한 결과 이

렇게까지 가벼워졌습니다 .

＊広告の最後の方
こうこく さいご ほう
雑誌も楽に入ってとても使いやすいです。
ざっし らく はい つか
Magazines also fit easily into this bag, making it perfect

for practically all your needs.

杂志也能够很容易地装进，非常实用。

잡지도 쉽게 넣을 수 있고 아주 사용하기 편리합니다 .

〈問 2 の解説〉
とい かいせつ
「軽い」ということが何度も書かれている。
かる なんど か
Note that the word '軽い (light)' is used over and over

again.　「軽い (轻)」一词出现了好几次。

「軽い (가볍다)」라는 말이 여러 번 쓰여 있다 .

2日目 （p.30〜31）

もんだい

〈翻訳〉

＊冷蔵室
れいぞうしつ

refrigerator section　冷蔵室　냉장실

＊冷凍室
れいとうしつ

freezer section　冷凍室　냉동실

＊最後の【ご注意】
さいご　　ちゅうい

壁との間を左右各２cm、後ろ10cm、上部5cm
かべ　あいだ　さゆうかく　　　うし　　　　　　じょうぶ

以上離して設置してください。
いじょうはな　せっち

Please ensure that the following spaces between the wall

and the product exist: 2 cm on both sides, 10 cm in the

back and 5 cm and more above.

请安装在离墙壁左右各 2cm、后方10cm、天花板 5cm 以上的

位置。

벽과의 사이를 좌우 2cm, 뒷부분 10cm, 위 5cm 이상띄어서

설치하십시오 .

〈問1の解説〉
とい　　かいせつ

【ご注意】をよく読もう。
ちゅうい　　　　　よ

このスペースに置ける冷蔵庫は
お　　れいぞうこ

高さ：175cm（＝180cm − 5cm）以下 → AC
たか　　　　　　　　　　　　　　　　いか

幅：61cm（＝65cm − 2cm × 2）以下 → BCD
はば　　　　　　　　　　　　　　　　いか

3日目 （p.32〜33）

もんだい

〈翻訳〉
ほんやく

＊本文の１行目
ほんぶん　ぎょうめ

いつも弊社の商品をご購入いただきまして、あり
へいしゃ　しょうひん　こうにゅう

がとうございます。

Thank you for purchasing our products.

感谢您平时购买我公司产品。

항상 저희 회사의 상품을 구입해 주셔서 , 감사합니다 .

＊本文の９行目
ほんぶん　ぎょうめ

なお、「新元気な野菜くん」の発売に伴い、現在の
しんげんき　やさい　　　はつばい　ともな　　げんざい

「元気な野菜くん」の販売を６月30日限りで中止
げんき　やさい　　　　はんばい　がつ　にちかぎ　ちゅうし

いたします。７月１日以降の「元気な野菜くん」の
がつついたちいこう　　げんき　やさい

ご注文は自動的に「新元気な野菜くん」になりま
ちゅうもん　じどうてき　　しんげんき　やさい

すのでご注意ください。
ちゅうい

Please note that in light of the release of " 新元気な野菜く

ん ", we will be discontinuing the sales of our current " 元

気な野菜くん " on June 30th. Beginning on July 1st, all

orders placed for " 元気な野菜くん " will be automatically

processed as " 新元気な野菜くん ".

同时，随着"新元气な野菜くん"的销售开始，现有的"元

气な野菜くん"将于 6 月 30 日停止销售。从 7 月 1 日起，"元

气な野菜くん"的订购都将自动转为"新元気な野菜くん"，

敬请留意。

아울러, 「新元気な野菜くん」가 발매되기 때문에 현재 「元

気な野菜くん」의 판매는 6 월 30 일로 중지합니다 . 7 월 1

일 이후 「元気な野菜くん」의 주문은 자동으로 「新元気な野

菜くん」으로 처리되니 주의하시기 바랍니다 .

〈問２の解説〉
とい　　かいせつ

本文の６行目に「お値段はそのままで」（＝値段は
ほんぶん　ぎょうめ　　　　ねだん　　　　　　　　　　ねだん

変わらない）とある。
か

4日目 （p.34〜35）

もんだい

〈翻訳〉
ほんやく

＊本文の１行目
ほんぶん　ぎょうめ

万一異常が発生したときは、電源プラグをすぐ抜
まんいちいじょう　はっせい　　　　　　　　でんげん　　　　　　　ぬ

くこと！

In the case that something goes wrong, immediately

remove the power plug！

如万一发生异常情况，请务必拔掉电源插头！

만일 이상이 발생했을 때는 , 전원 플러그를 바로 뽑을것！

＊本文の７行目
ほんぶん　ぎょうめ

５年に一度は内部の掃除を販売店に依頼するように
ねん　いちど　ないぶ　そうじ　はんばいてん　いらい

してください。

Ask your retailer to clean the inside of the appliance once

every five years.

毎隔 5 年，请委托销售店对内部进行一次清洁工作。

5 년에 한 번은 내부의 청소를 판매점에 의뢰하십시오 .

5日目 （p.36 〜 37）

もんだい

〈翻訳〉

＊1つ目の●

商 品 到 着 後 7日以内にご返送いただければ、交
換・返品をお受けいたします。

Products can only be returned or exchanged within seven
days of the purchase date.

如在商品到货后的 7 天之内寄回，可以受理商品的交换或退货。

상품이 도착하여 7 일 이내에 반송해 주시면 , 교환이나 반품
을 접수합니다 .

＊2つ目の●

交換・返品ができない場合については裏面をよくお
読みください。

Please notice the restrictions on returns and exchanges on
the back of this sheet.

有关无法受理商品交换或退货的情况，请仔细阅读背面的说明。

교환이나 반품할 수 없는 경우에 관해서는 뒷면을 잘읽어 보
십시오 .

6日目 （p.38 〜 39）

もんだい

〈翻訳〉

＊1つ目の●

この保 証 書は、記載の内容で無 料 修 理を行うこ
とをお約束するものです。

This warranty assures you free repairs of the product as
described within.

本保证书保证对所记载的内容进行免费修理。

이 보증서는 적혀진 내용의 무료 수리를 약속하는 것입니다 .

＊2つ目の●

★はお買い上げいただいた販売店が記入する欄で

す。

" ★ " is the section to be filled in by the store where you
purchased the product.

★栏是由您购买本产品时的销售店所填写的内容。

「★」은 상품을 사신 판매점이 기재하는 칸입니다 .

＊3つ目の●

不適切なご使用による故 障

trouble resulting from the improper use of the product

因使用不当而发生的故障　不适切的使用에 의한 고장

〈問2の解説〉

保 証 期間を過ぎた場合の修理は有料である。

Any repairs beyond the term of the warranty will be
charged.　过了保修期时，修理需要支付费用。

보증 기간이 지난 경우의 수리는 유료입니다 .

7日目　まとめの問題（p.40 〜 42）

問題1

〈全体の解説〉

曜日と回数に注意。

Pay attention to the dates and frequency!

请注意星期几和次数。　요일과 횟수에 주의 .

〈翻訳〉

＊種類別にひもでしばってください。

Please bind them with strings by type.

请分类捆绑。

종류별로 끈으로 묶어 주십시오 .

＊スプレー缶・カセットボンベはなるべく使い切っ
て出してください。

Please use up spray cans and gas cylinders before putting
them out.

喷雾罐和卡式炉气罐请尽可能用完后再丢弃。

스프레이 캔・휴대용 부탄가스 통은 가급적 다 사용한 후 배
출해 주세요 .

＊新しく購入する場合は、販売店にお問い合わせ
ください。

Please contact a retailer to purchase a new one.

购买新的产品时，请联系经销商。

새로 구입하는 경우에는 대리점에 문의해 주십시오.

問題2

〈4 の解説〉

1. 「11 歳未満の子ども」→ 11 歳は入らない。

3. 服用後しばらくの間は、乗り物または機械類の
運転操作をしないでください。

Do not drive a vehicle or operate machinery soon after

taking this medicine.

服用后请不要立即驾车或操作各类机器。

복용 후 얼마 동안은, 자동차를 운전하거나 기계

등의 운전 조작을 하지 마십시오.

4. 使用期限を過ぎた製品は服用しないでください。

Do not take the medicine if the expiration date has

already passed.　请勿服用过期药品。

사용 기한이 지난 제품은 복용하지 마십시오.

第3週

1日目 （p.44〜45）

もんだい

〈全体の解説〉

メールは手紙より形式が簡単になっている。

The format for emails is simpler than for letters.

电子邮件的形式比书信简单。

전자 메일은 편지보다 형식이 간단하게 되어 있다.

〈翻訳〉

＊本文の3〜4行目

実は先日、台風が青森に上陸したというニュース
を見て、「田中さんの家のほうは大丈夫かしら」と
家族で話していたのです。

The other day we saw the news that the typhoon had hit

Aomori, so our family here was wondering if the Tanaka

family was all right.

正好前几天在电视里看到台风登陆青森的新闻后，和家人说

起"不知道田中女士家里要不要紧"的事。

실은 며칠 전에, 태풍이 아오모리（青森）에 상륙했다는 뉴

스를 보고,「다나카 씨의 집은 괜찮았을까」라고 가족끼리

이야기를 했습니다.

＊本文の9行目

主人の母や妹の家にも分けて、みんなで楽しもう
と思っています。

We will enjoy them with my mother-in-law and my

younger sister's family.

我还打算分一些给我婆婆和小姑家，让大家都尝尝。

남편의 어머니와 여동생 집에도 나눠 먹을까 합니다.

2日目 （p.46〜47）

もんだい

〈翻訳〉

＊本文の2〜3行目

先日の同窓会では、15年ぶりに先生にお会いでき
て、本当に楽しかったです。先生はちっともお変わ
りなく、高校生に戻ったような気がしました。

It was so nice seeing you at the reunion for the first time in

15 years. You have not changed a bit, and I felt as if I had

slipped back to my high school days.

在上次的同学会上，能和15年没见面的老师再次相会，非常

开心。老师还是一点都没变，我感到好像又回到高中时代。

며칠 전 동창회에서, 15년 만에 선생님을 뵐 수 있어 정말 즐

거웠습니다. 선생님께서는 조금도 변함이 없으셨고, 저는 마

치 고등학생으로 돌아간 듯한 기분이었습니다.

＊本文の8〜9行目

メールに添付して送ってくださると助かります。

It would be a great help if you could send it by email as an

attachment.　希望您能以附件形式使用电子邮件发过来。

전자 메일에 첨부해서 보내주시면 고맙겠습니다.

3日目 （p.48〜49）

もんだい

〈全体の解説〉
手紙の場合は、季節のあいさつが必要だったり、名
前の位置などが決まっていたりするので注意する
こと。

When writing letters, pay attention to seasonal greetings

and the placing of the names at the end of the letter.

写信时需要有配合季节性的问候语，还需要注意姓名的书写

位置等。

편지를 쓸 때는 , 계절에 맞는 인사가 필요기도 하고이름을

쓰는 위치도 정해져 있으므로 주의할 것 .

〈翻訳〉
＊本文の5〜8行目
去年の今ごろは、大きなおなかを抱えてふうふう
言っていた私ですが、今は早くも歩き出した健一の
後を追いかけるのに忙しく、やはりふうふう言って
います。

Last year at this time I was always short of breath because

of my growing tummy. Now our Kenichi is already

starting to walk, so I again find myself panting as I am

busy chasing after him.

去年的这个时侯，我正捧着个大肚子，老是气喘吁吁的，现在

我整天忙着追在已经会走路的健一身后，同样是气喘吁吁的。

작년 이맘쯤에는 (임신하여) 커다란 배로 헐떡거리며 힘들어

했던 저입니다만 , 지금은 벌써 걸음마를 시작한 켄이치 (健

一) 의 뒤를 쫓아가는데바빠 역시 숨 가쁘게 지내고 있습니

다 .

＊本文の9〜10行目
お盆には一家そろって実家へ帰る予定です。

We are planning to go back to my parents' during the

Obon holiday.　盂兰盆节我们准备全家一起回娘家去。

추석에는 일가 모두 함께 친정에 돌아갈 예정입니다 .

4日目 （p.50〜51）

もんだい

〈翻訳〉
＊本文の6〜8行目
皆様にもぜひ見ていただきたく、わが家で花見の会
を開くことにいたしました。

Since we'd love to share this wonderful view of the

blossoms with you, we've decided to have a hanami party

at our house.

我非常想让大家也来看一看，所以决定在我家开个赏花会。

여러분께 꼭 보여 드리고 싶어서 저희 집에서 꽃놀이를 열기

로 했습니다 .

＊本文の12〜13行目
お車でおいでになる場合は公園の駐車場をご利用
ください。

If you come by car, please use the park's car park.

开车来的话请使用公园的停车场。

자동차로 오실 경우 , 공원의 주차장을 이용해 주세요 .

5日目 （p.52〜53）

もんだい

〈翻訳〉
＊本文の4〜5行目
あの時はどういうわけか興奮していたようです。

For some reason, our dog got a little too excited at that

time.　不知道为什么，那时好像特别的兴奋。

그때는 왠지 흥분하고 있었던 것 같습니다

＊本文の10〜12行目
歩き始めたばかりの小さいお子さまに怖い思いをさ
せてしまったこと、本当に申し訳なく思っておりま
す。

We are extremely sorry for putting your dear toddler

through such a horrifying experience.

让刚会走路的小朋友受到了惊吓，我真的感到非常抱歉。

걸음마를 시작한 어린 자녀분께 무서움을 느끼게 해서 정말

죄송합니다 .

6日目 （p.54 ～ 55）

もんだい

〈翻訳（ほんやく）〉

＊本文の３～４行目（ほんぶん ぎょうめ）

請求書（せいきゅうしょ）の控（ひか）えをメールに添付（てんぷ）させていただきますので、金額（きんがく）をご確認（かくにん）の上（うえ）、指定（してい）の口座（こうざ）にお振（ふ）り込（こ）みいただきますようお願（ねが）い申（もう）し上（あ）げます。

A copy of the invoice is attached to the email, so please confirm the amount and transfer the funds to the designated account.

邮件中会附上一份请款单的复印件，请核对金额并将钱转到指定账户。

청구서 사본을 메일에 첨부하오니, 금액을 확인하신 후 지정 계좌에 입금해 주시기를 부탁드립니다 .

7日目 まとめの問題 （p.56 ～ 58）

問題1

〈翻訳（ほんやく）〉

＊本文の１行目（ほんぶん ぎょうめ）

ごぶさたしております。

It's been a long time since we have seen each other.

好久没问候了。 오랫동안 연락도 드리지 못하여 죄송합니다 .

＊本文の２行目（ほんぶん ぎょうめ）

昨年（さくねん）の講演（こうえん）の際（さい）には、大変（たいへん）お世話（せわ）になりました。

Thank you so much for your lecture last year.

去年讲演时，承蒙了您的关照。

작년 강연 때에는 대단히 신세를 졌습니다 .

＊本文の２～３行目（ほんぶん ぎょうめ）

先生（せんせい）の講演（こうえん）はとても評判（ひょうばん）がよく、次回（じかい）もぜひという声（こえ）が多（おお）く上（あ）がっております。

It was well received, and many indicated they would like you to speak again this year.

老师的讲演非常受到好评，很多人都说希望下次还能够听到老师的讲演。

선생님의 강연은 평판이 아주 좋아서 다음번에도 꼭 강연을 듣고 싶다는 의견이 많습니다 .

問題2

〈全体の解説（ぜんたい かいせつ）〉

「～させていただきました」は「～しました」の謙譲語（けんじょうご）。とても丁寧（ていねい）な言（い）い方（かた）。

'... sasete itadakimashita' is the humble form of 'shimashita'. It is a very polite expression.

「～させていただきました」是「～しました」的自谦语，是很有礼貌的说法。

「～させていただきました」는「～しました」의 겸양어 . 매우 정중한 표현 .

〈翻訳（ほんやく）〉

＊本文の２～４行目（ほんぶん ぎょうめ）

ご返品（へんぴん）いただいたものを調（しら）べましたところ、ライトがうまく作動（さどう）していなかったことで画面（がめん）が暗（くら）く見（み）にくかったということでした。

We have examined the goods you returned. Our inspection revealed that the light failed to operate properly, causing the screen to appear dark.

我们检查了您退回的产品，发现是由于灯泡没有正常工作而导致了画面过暗无法看清的现象。

반품하신 것을 확인해 보니 , 발광체가 잘 작동되지 않아서 화면이어둡고 잘 안 보였다고 합니다 .

＊本文の５～６行目（ほんぶん ぎょうめ）

今後（こんご）は二度（にど）とこのようなことが起（お）きないよう製品（せいひん）のチェックを強化（きょうか）いたします。

We assure you that we will do our best to eliminate such defective products in the future.

我们将会加强对产品的检查，保证今后不再发生同样的情况。

앞으로는 두 번 다시 이와 같은 일이 일어나지 않도록 제품 검사를 강화하겠습니다 .

第４週

１日目　（p.60～61）

もんだい

〈問２の解説〉

「窓閉め切り眠れぬ一夜」

＝タイヤ工場の火事のために窓を閉め切って、（住民は）その夜、眠ることができなかった。

As a result of the fire at the tire factory, residents closed their windows and were unable to sleep that night.

紧闭窗户一夜不成眠：由于轮胎工厂的火灾而关闭了窗户。(居民) 那个晚上无法入睡。

창문은 전부 닫은 채 잠들 수 없는 하룻밤：타이어 공장의 화재때문에 창문을 전부 닫은 채，(주민은) 그날 밤，잠들 수가 없었다．

２日目　（p.62～63）

もんだい

〈翻訳〉

＊１行目

貿易相手国

a country which imports (Japanese) goods　貿易伙伴国

무역 상대국

＊２行目

輸入額は 17.5 兆円に達しています。

The total imports amount to 17.5 trillion yen.

进口额达到了 17.5 万亿日元。

수입 금액은 17.5 조엔에 이르고 있습니다．

＊グラフのタイトル

相手先別

broken down by importing countries　伙伴类别　대상별

３日目　（p.64～65）

もんだい

〈翻訳〉

＊グラフのタイトル

ストレスを感じているときの食事の量の変化

change in quantity of food eaten under stress

感受到紧张和压力时的饭量变化

스트레스를 느끼고 있을 때의 식사량의 변화

〈問の解説〉

「食事の量に変化がある」というのは「多くなる」「少なくなる」「多くなるときも少なくなるときもある」の３つの場合を言う。

There are three patterns in which the quantity of food eaten changes: 'more', 'less', and 'irregular daily consumption'.

「饭量有变化」是指「变多」、「变少」、「有时变多有时变少」三种。

「식사량에 변화가 있다」 라는 것은，「양이늘다」「양이 줄다」「양이 늘거나 줄기도 한다」의 3 가지 경우를 말한다．

４日目　（p.66～67）

もんだい

〈翻訳〉

＊天然の温泉

natural hot spring　天然温泉　천연 온천

〈問２の解説〉

一部屋に１人で泊まる場合は、8,000 円ではない。

The fee of 8,000 yen is not for single occupancy.

一个人住一间房时不是 8000 日元。

한 방에 혼자 묵을 때는 8000 엔이 아니다．

５日目　（p.68～69)

もんだい

〈翻訳〉

＊１行目

引っ越しなんて初めて、という方も大丈夫！

9

No need to worry even if it's your first move!

第一次搬家的朋友也请放心!

이사를 처음 하시는 분도 안심하시고 맡겨 주십시오!

〈問の解説〉

ダンボールは全部で50個まで無料である。

Up to 50 cardboard boxes are provided free of charge.

最多可免费提供 50 个纸箱。

이사용 골판지 상자는 전부 50 개까지 무료입니다.

6日目 （p.70～71）

もんだい

〈問4の解説〉

ママは男の子のかいた絵は上手だと思っている。

The mother thought that the drawing which drew by the boy is very good.

母亲觉得男孩画的画画得很好。

엄마는 남자아이가 그린 그림을 잘한다고 생각한다.

7日目　まとめの問題（p.72～74）

問題2

〈全体の解説〉

「事件の影響で心の傷」

＝事件の影響で、（小中学生たちが）心に傷を負っている。

As a result of the incident, the elementary and junior high school students were affected psychologically.

由于这次事件的影响，（中小学生们）心里受到了伤害。

사건의 영향으로 (초·중학생들이) 마음의 상처를 입었다.

〈翻訳〉

＊上段の7～8行目

深刻な心の傷を訴えている

suffering from severe psychological damage

心灵受到严重创伤　심각한 마음의 상처를 호소하고 있다

第5週

1日目　（p.76～77）

もんだい

〈翻訳〉

＊本文の3行目

しかも誕生日はとっくに過ぎているのに。

Besides that, it was already well past my birthday.

而且我的生日早就过了。　게다가 생일은 벌써 지났는데도.

＊本文の8行目

そういえば、いつだったか、みんなで誕生日の話をしたことがあった。

When I think of it, we once talked about our birthdays.

想起来了，好像以前有一次，大家一起聊到过生日的事。

그러고 보니 언젠가 모두 함께 생일 이야기를 한 적이 있다.

2日目　（p.78～79）

もんだい

〈全体の解説〉

日記の場合は、過去のことでも辞書形で書くことがある。

In diaries, past events are sometimes described by a dictionary form verb.

写日记的时候，过去发生的事情也用常体写。

일기의 경우, 과거의 일이라도 기본형으로 쓸 때가 있다.

〈翻訳〉

＊本文の1行目

朝ごはんは抜き

skipped breakfast　没吃早饭　아침밥을 걸렀다

＊本文の3行目

バイクで通りかかった

passed by a motor bike　经过

오토바이를 타고 막 지나려던 참이었다

＊本文の12行目

もう乗せてもらうものか。

I will never ask him for a ride.　以后再也不坐了。

앞으로는 태워 달라고 하지 말아야지 .

3日目 （p.80 〜 81）

もんだい

〈翻訳〉
ほんやく

＊4行目
ぎょうめ

子どもが女の子だったときの想像を次々していた。
こ　おんな　こ　　　　　　　　　そうぞう　つぎつぎ

She was imagining again and again if the baby was a girl.

妻子那时不停地想象我们生了个女儿时的情景。

아이가 딸이었을 때의 상상을 계속 하고 있었다 .

＊最後の行
さいご　ぎょう

妻も私も最初の希望とは違う現実になっているが、
つま　わたし　さいしょ　きぼう　　　ちが　げんじつ

息子が元気に育っていることに満足している。
むすこ　げんき　そだ　　　　　　　　　　まんぞく

My wife and I are happy that our son is growing up well,

although the reality is different from our initial hopes.

我和我的妻子很高兴，我们的儿子成长得很好，尽管现实与

我们最初所希望的有所不同。

아내도 나도 처음 희망했던 것과는 다른 현실이 되었지만 , 아

들이 건강하게 자라고 있는 것에 만족한다 .

4日目 （p.82 〜 83）

もんだい

〈翻訳〉
ほんやく

＊1〜2行目
ぎょうめ

私の母は、私が中学生になったころ、ある病気に
わたし　はは　　わたし　ちゅうがくせい　　　　　　　びょうき

かかって入退院を繰り返し、家にいる時もほとん
にゅうたいいん　く　かえ　いえ　　　とき

ど横になっていた。
よこ

When I was in junior high school, my mother was in and

out of the hospital for a certain disease, and she was in bed

most of the time when she was home.

当我刚上初中时，母亲因病经常住院，在家里时几乎也都躺着。

나의 어머니는 내가 중학생이 됐을 무렵 어떤 병에 걸려 입원

과 퇴원을 반복하며 집에 있을 때도 거의 누워 있었다 .

＊10〜11行目
ぎょうめ

子どもの世話はよくしてくれるから、文句を言うの
こ　せわ　　　　　　　　　　　　　もんく　い

はやめよう。

He takes good care of his children, so let's not complain.

他把孩子们照顾得很好，所以我们不要抱怨了。

아이는 잘 돌봐 주니까 불평하는 것은 그만두자 .

5日目 （p.84 〜 85）

もんだい

〈翻訳〉
ほんやく

＊8〜9行目
ぎょうめ

まだ小学6年生だというのに、自分のさびしさを
しょうがく　ねんせい　　　　　　　じぶん

隠して、私のことを気遣ってくれているのだ。
かく　　わたし　　　　きづか

She is only in the sixth grade, but she is putting aside her

lonely feelings and trying to be nice to me,

虽然她还只是个小学六年级的学生，却把自己的孤单埋藏在

心里而来关心我。

아직 초등학교 6 학년인데 불구하고 , 자신의 외로움을 숨기

고 나를 걱정해 주고 있는 것이다 .

＊11〜12行目
ぎょうめ

私は胸が熱くなり、しばらくの間、箸を動かすこ
わたし　むね　あつ　　　　　　　　　あいだ　はし　うご

とができなかった。

I was so overwhelmed and could not eat for a while.

我感到心头一热，暂时无法动一下手中的筷子。

나는 감동해서 한동안 젓가락을 움직일 수 없었다 .

6日目 （p.86 〜 87）

もんだい

〈翻訳〉
ほんやく

＊8〜9行目
ぎょうめ

いつものように放っておこうと思ったけれど、
ほう　　　　　　おも

チャックの間から何かが飛び出しているのが見え
あいだ　なに　と　だ　　　　　　　　み

た。

I was going to ignore it as usual, but I saw something

sticking out from the zippers.

我本来打算像往常一样不去管它，但我看到有东西从拉链之

間冒了出来。

平소처럼 내버려 두려고 했는데, 지퍼 사이에서 무언가가 튀어나오는 것이 보였다.

＊11 〜 12 行目
ぎょうめ

重かったはずだ。
おも

It must have been heavy.　応該很重。

무거웠을 것이다.

〈問 2 の解説〉
とい　かいせつ

ジョンがカバンを持ってきたとき、中身がお金だと
も　　　　　　　　　なかみ　かね
分かったが、その金額は知らなかった。
わ　　　　　　きんがく　し

When John brought a bag, I knew there was money in it, but I did not know the amount.

当约翰将袋子拿来时，我知道里面是钱，但不知道金额。

존이 가방을 가져왔을 때 내용물이 돈이라는 것은 알았지만 그 금액은 알지 못했다.

7 日目　まとめの問題 （p.88 〜 90）

問題 1

〈翻訳〉
ほんやく

＊20 行目 （④の文）
ぎょうめ　　　　ぶん

「たいへんなの、ぼくの部屋が火事になったよう。」
へや　かじ
と言おうとしたが、どうしても「たいへんなの。」
い
きりであとは声が出なかった。
こえ　で

I tried to say, "Help! My room has gone up in flames", but my voice simply stopped at "Help!".

我想大叫："不好啦！我房间着火了！"，可我喊出"不好啦"后，就怎么也发不出声来。

「큰일 이야 , 내 방에 불이 난 것 같아 .」 라고 말을 하려고 했지만 ,「큰일 이야 .」 라고 그 외는 아무리 해도 목소리가 나지 않았다 .

1 日目　（p.92 〜 93）

もんだい

〈翻訳〉
ほんやく

＊11 〜 13 行目
ぎょうめ

年賀はがきがなくなったとしても、お世話になった
ねんが　　　　　　　　　　　　　　　せわ
人に感謝の気持ちを書いたり、なかなか会えない人
ひと　かんしゃ　きも　か　　　　　　　　あ　　　ひと
に連絡を取ったりするという、新年のあいさつの
れんらく　と　　　　　　　　　　しんねん
習 慣は、日本的な 行事として残るのではないで
しゅうかん　にほんてき　ぎょうじ　のこ
しょうか。

Even if New Year postcards are no longer used, the custom of New Year's greetings, such as writing thank you notes to those who have helped you and contacting those you do not see often, will probably remain as a Japanese event.

即使人们不再使用新年明信片，作一种独特的仪式，日本仍保留着新年问候的习俗，例如给那些帮助过你的人写感谢信，以及与你不经常见面的人联系。

연하장이 사라졌다고 해도 신세 진 사람에게 감사의 마음을 적거나 , 좀처럼 만나지 못하는 사람에게 연락을 하는 등의 새해 인사 관습은 일본적인 행사로서 남는 것이 아닐까요 .

2 日目　（p.94 〜 95）

もんだい

〈翻訳〉
ほんやく

＊6 行目
ぎょうめ

やる気になったものをある程度の形にするのは比較
き　　　　　　　　　　　ていど　かたち　　　　ひかく
的簡単でしょう。
てきかんたん

It is relatively easy to master the basics once you decide to do it.

只要有干劲，就比较容易达到一定程度。

의욕이 있는 것에 어느 정도 성과를 내는 것은 비교적 간단하지요 .

＊10 行目
ぎょうめ

その倍の時間がかかったとしても 10 年（でマスター
ばい　じかん　　　　　　　　　　　　　ねん

できる）。

Even if it takes twice as long, you can master it in 10 years.

即使花了加倍的时间也只要 10 年（就能学会）。

그 배의 시간이 걸린다 하더라도 10 년 (이면 습득할 수 있다) .

3日目　（p.96 ～ 97）

もんだい

〈翻訳〉

＊4 ～ 5 行目
そういう便利さの一方で、生活や行動に悪い影響はないのだろうか。

Despite of such convenience, will it have a negative impact on our lives and behaviors?

虽说手机很方便，但它不会对人们的生活和行为带来负面影响吗？

그러한 편리함이 있는 한편 , 생활이나 행동에 나쁜 영향은 없는 것일까 .

＊11 ～ 12 行目
スマホにコントロールされているような気さえする。そんなに使いすぎていいのか。

I even feel like my smartphone is controlling me. Is it really ok to use it so much?

我甚至觉得我已经被我的手机给控制了。我们使用手机的时间这么长，真的好吗？

스마트폰에 제어당하고 있는 것 같은 생각마저 든다 . 그렇게 많이 사용해도 괜찮은 걸까 .

4日目　（p.98 ～ 99）

もんだい

〈翻訳〉

＊8 ～ 9 行目
したがって、みんなが去年と同じくらいしか行かないとしたら、年間パスポートが決して得とは言えない。

Thus, if everyone only goes as much as they did last year, an annual pass will not be a good deal.

因此，如果每个人去玩的频度都跟去年一样的话，买年票绝对说不上划算。

따라서 모두가 작년과 비슷한 정도밖에 가지 않는다면 연간 이용권이 반드시 이득이라고는 할 수 없다 .

〈問 2 の解説〉
6000 円（3 人分）＋1000 円（筆者の上の子の分）

5日目　（p.100 ～ 101）

もんだい

〈翻訳〉

＊10 ～ 11 行目
薬で咳をおさえてしまうのは逆効果になる

taking medicine to stop your cough has the opposite effect

硬是用药止住咳嗽反而会适得其反

약으로 기침을 멈추게 하는 것은 역효과다

6日目　（p.102 ～ 103）

もんだい

〈翻訳〉

＊6 ～ 9 行目
会社は、必要としているスキルを持っている人を紹介してもらうことができ、また、社会保険料や将来の給料アップなどのような費用がかからない派遣社員を多く雇うことは、都合がいいことなのでしょう。

I suppose it is convenient for the company to hire more temporary workers, as it can be introduced to people with the skills the company needs and will not incur costs such as social insurance premiums and future salary increases.

或许对于公司来说，大量雇用派遣工是一件很方便的事。他们可以找到具备他们所需技能的人，而且不需要为其承担社会保险费，也不需要将来为他们涨薪。

회사는 필요한 스킬을 가진 사람을 소개받을 수 있고, 또한 사회 보험료나 장래 급여 인상 등과 같은 비용이 들지 않는 파견 사원을 많이 고용하는 것이 편리하겠지요.

〈問1の解説〉
正社員と派遣社員の能力は比べていない。

The abilities of permanent and temporary employees are not compared.

笔者并没有对正式员工和派遣员工的能力做比较。

정사원과 파견 사원의 능력은 비교하지 않는다.

〈問2の解説〉
筆者個人の意見であることに注意しよう。

Note that this is the author's personal opinion.

请读者注意，这只是笔者的个人观点。

필자 개인의 의견임에 주의하자.

7日目　まとめの問題 （p.104～106）

問題1

〈全体の解説〉
レム睡眠（脳波が浅い眠りを示す）のときに、夢を見る。強いストレスがあるとき、レム睡眠が長くなる。つまり夢を見ている時間が長くなる。

Dreams occur during REM sleep (when brain waves indicate shallow sleep). During times of high stress, REM sleep is longer, which means more time is spent dreaming. (REM is an abbreviation for Rapid Eye Movement.)

快速眼动睡眠（脑电波的浅睡眠状态）时会做梦。在紧张和压力大的时候，快速眼动睡眠时间变长，也就是说做梦时间会变长。

렘수면（뇌파가 얕은 수면을 나타냄）때에 꿈을 꾼다. 강한 스트레스가 있을 때 렘수면이 길어진다. 즉, 꿈꾸는 시간이 길어진다.

〈翻訳〉
＊13～14行目
イヤーなことがあったときによく夢を見たなと、思い当たりませんか。

Have you ever been stressed out and as a result dreamed a lot?

你是不是觉得当你遇到不开心的事时，晚上就会经常做梦。

안 좋은 일이 있을 때 자주 꿈을 꿨다든가, 짐작되는 것은 없습니까？

問題2

〈翻訳〉
＊2～5行目
いや、真っすぐのわけがない、T字路なんだから。あ、右だったか。曲がると同時に右に1回だけウィンカーが点滅した。違反していませんよ、出しましたよ、とでも言うように。しかし、曲がる直前や曲がりながらのウィンカーに意味があるのだろうか。

No, we can't go straight, it's a T-junction. Oh, it was right. The right indicator flashed once as the car turned. As if to say, "I didn't break the law. I used the indicator". But what is the point of indicators just before or while turning?

不，不可能是直的，它是一个丁字路口。啊，原来是右边。转弯的同时闪了一下右转向灯仿佛在说，我没有违法交通规则，我打了转向灯哦。但在下一秒就要转弯时或转弯过程中才打转向灯又有什么意义呢？

아니, 직진일 리가 없어. T자 길이니까. 아, 오른쪽이었나. 꺾는 것과 동시에 오른쪽으로 한 번만 방향 지시 등이 점멸했다. 위반하지 않았어요, 켰어요, 라고 말하듯이. 하지만 꺾기 직전이나 꺾으면서 방향 지시 등을 켜는 것에 의미가 있을까.

問題1（1） p.108

〈翻訳〉
ほんやく

＊本文の2〜3行目
ほんぶん　　　ぎょうめ

その間は、できるだけ水道のご使用をなさらぬよう
　　あいだ　　　　　　　　すいどう　　しよう
お願いします。
ねが

Please refrain from using the water supply as much as

possible during the period.

在此期间，请尽量不要使用自来水。

그 사이에는 가능한 한 수도 사용을 하지

않으시기를 부탁드립니다.

＊本文の6行目
ほんぶん　　ぎょうめ

雨天の場合……小雨の場合は決行　大雨の場合は延
うてん　　ばあい　こさめ　ばあい　けっこう　おおあめ　ばあい　えん
期
き

The event will be held in the case of light rain, but be

postponed in the case of heavy rain

如果是雨天……小雨的话，活动将进行；大雨的话，活动将

推迟延后。

우천 시，가랑비일 경우 결행　큰비일 경우 연기

答え
こた

1 4　　2 2

2 の解説
かいせつ

1番「必ず」、3番「（17：00になったら）にごら
ばん　かなら　　ばん
ない」、4番「延期のお知らせをする」とは書いて
　　　ばん　えんき　し　　　　　　　　　　か
いない。

#1 "必ず", #3 "(17:00になったら)にごらない", and #4 "延

期のお知らせをする" are not written.

选项1没有写「必ず」、选项3没有写「（17：00になったら）

にごらない」、选项4没有写「延期のお知らせをする」。

1번 '必ず', 3번 '（17：00になったら）にごらない', 4번

'延期のお知らせをする'라고는 쓰여 있지 않다.

問題1（2） p.109

〈翻訳〉
ほんやく

＊本文の2〜3行目
ほんぶん　　　ぎょうめ

海外での結婚式で、日程の調整をして私も中村さ
かいがい　けっこんしき　にってい　ちょうせい　わたし　なかむら
んも参加しようと思っていたのですが、親族だけと
　　さんか　　　　おも　　　　　　　　　しんぞく
いうことで、友人たちは参加できませんでした。
　　　　　　ゆうじん　　　さんか

It was an overseas wedding, and both Nakamura and I had

arranged our schedules so that we could attend, but since it

was a family-only wedding, friends could not attend.

那是一场在国外举行的婚礼，我和中村本来打算安排好行程

一起参加的，但被告知那场婚礼只邀请亲属，因此朋友没能

参加。

해외에서의 결혼식이라 일정을 조정하여 저도 나카무라 씨도

참석하려고 했지만，친척만 가능하여 친구들은 참석할 수 없

었습니다．

答え
こた

3 1　　4 3

3 の解説
かいせつ

親族のみで行う結婚式だったから友人は参加できな
しんぞく　　おこな　けっこんしき　　　　　ゆうじん　さんか
かった。

Friends could not attend as it was conducted as a family-

only wedding.

因为那场婚礼只邀请亲属，所以朋友没能参加。

친척만 참석하는 결혼식이었기 때문에 친구는 참석할 수 없었

다.

4 の解説
かいせつ

「いつかパーティを開きたい」のではなく、パーティ
　　　　　　　ひら
を開くことも場所も決めているが日程がまだ決まっ
　ひら　　　ばしょ　き　　　　　にってい　　　き
ていない。

It's not that "I want to have a party someday," I have

decided to have a party and the location, but the date has

not yet been set.

并非"我到时候想开个派对"而是"我已经决定要开个派对，

也定好了地方，但举办派对的具体时间和场所还没定下来"。

'언젠가 파티를 열고 싶다'가 아니라 파티를 여는 것도，장

소도 정했으나 일정이 아직 정해지지 않았다 .

問題 2 （1） p.110

〈翻訳〉
ほんやく

*1～3行目
ぎょうめ

CO₂ の発生をおさえ、国民が健康になり、道路の
はっせい　　　　　　　こくみん　けんこう　　　　どうろ
渋 滞もなくなるということで日本でも注目されて
じゅうたい　　　　　　　　　　　　にほん　　ちゅうもく
はいるが、まだまだ実現は難しそうで、通勤どころ
　　　　　　　　　　じつげん　むずか　　　　　つうきん
か、ちょっと近所まで乗っていくだけでも危なっか
　　　　　　きんじょ　の　　　　　　　　　　あぶ
しく見える人も多い。
　　み　　ひと　おお

Although it is also attracting attention in Japan as a means
of reducing CO₂ emissions, improving people's health, and
reducing traffic congestion, it still seems difficult to
realize, and many people feel unsafe just riding around
their neighborhood, let alone commuting to work.

这种方式在日本受到关注，因为能够减少二氧化碳排放，使
人们更加健康，并能消除道路拥堵，但它目前似乎还很难实现。
许多人只是乘到自家附近就看起来很危险了，更不用说上下
班了。

CO₂ 발생을 막아 국민들이 건강해지고 도로 정체도 없어진다
는 점에서 일본에서도 주목받고 있지만 아직 실현되기는 어려
워 보이며, 통근은커녕 잠깐 근처까지 타고 가는 것만으로도
위태롭게 보이는 사람도 많다 .

答え
こた
⑤ 1　⑥ 3

⑤ の解説
かいせつ
4 行目、5 行目に書いてある。
　ぎょうめ　　ぎょうめ　　か

⑥ の解説
かいせつ
10 行目、11 行目に書いてある。
　ぎょうめ　　ぎょうめ　　か

問題 2 （2） p.111

〈翻訳〉
ほんやく

*12～13行目
ぎょうめ
ほかにおすすめのお買い得品はスマホの充電ケー
　　　　　　　　　か　どくひん　　　　　　　じゅうでん
ブルや USB コード、イヤホン、特にワイヤレスイ
　　　　　　　　　　　　　　　　　とく

ヤホンは人気があって、すぐに売り切れてしまう
　　　　　にんき　　　　　　　　　　う　き
Other recommended bargains are smartphone charging
cables, USB cables and earbuds. Wireless earbuds in
particular are popular and sell out quickly.

其他值得推荐的优惠商品还有智能手机充电线、usb 线、耳机，
尤其是无线耳机很受欢迎，很快就会卖光的。

그 밖에 추천하는 특가 상품은 스마트폰의 충전 케이블이나
USB 코드 , 이어폰 , 특히 무선 이어폰은 인기가 많아 곧 품절
되어 버린다 .

答え
こた
⑦ 1　⑧ 3

⑦ の解説
かいせつ
売られている物が安くてきれいで、この市の評判
う　　　　　もの　やす　　　　　　　　　いち　ひょうばん
がいい。

⑧ の解説
かいせつ
見つからないだろうとあきらめた。
み

問題 3　p.112 ～ 113

〈翻訳〉
ほんやく

*10 ～ 12 行目
ぎょうめ
近すぎて、言いにくいこともあるでしょう。そこで、
ちか　　　　　い
お金がかかっても関係のない人に愚痴を言うという
　かね　　　　　　　かんけい　　　ひと　ぐち　い
わけです。

There are some things that are hard to say because it (a
relationship) is too close. So they complain to unrelated
people, even if it costs them money.

由于 (彼此的关系) 过于亲密，导致有些事情很难开口。因此，
他们宁可花钱，也会去找些与此无关的人抱怨这些。

(관계성이) 너무 가까워서 말하기 어려운 면도 있겠죠 . 그래
서 돈이 들더라도 관계없는 사람에게 푸념을 하는 것입니다 .

答え
こた
⑨ 1　⑩ 3　⑪ 2　⑫ 4

⑨ の解説
かいせつ
筆者はお金を払って「レンタルさん」に登録してい
ひっしゃ　かね　はら　　　　　　　　　　　　とうろく
るが、お金をもらうことが目的ではないので、3、
　　　かね　　　　　　　もくてき

4 は間違い。

10 の解説
9 行目から 12 行目に書いてある。

12 の解説
16 行目、17 行目に「私の場合は〜うれしいのです。」
と書いてある。

問題4　p.114〜115

〈翻訳〉
＊ p.114 の 3 行目
みんなの感想は、安い割に味は満足だというもので
した。

Everyone's impression was that the food was satisfactory

for the low price.

众人的感想是，没想到能用如此便宜的价格吃到如此满意的

东西。

모두의 감상은 싼 것에 비해 만족스러운 맛이라는 것이었습니

다．

＊ p.115 の右上の文章の〈ご注意〉
このポイントの有効期限は、今回のお弁当が配達さ
れた日から 30 日以内です。

These points expire in 30 days from the date of delivery of

this boxed lunch.

这些积分的有效期为自本餐配送之日起 30 天以内。

이 포인트의 유효 기한은 이번 도시락이 배달된 날로부터 30

일 이내입니다．

答え
13 3　14 4

13 の解説
値段についても満足かどうかを聞いている。
It's also asking if they were satisfied with the price.

他们还会问是否对价格感到满意。

가격에 대해서도 만족 여부를 묻고 있다．

14 の解説
二つの〈ご注意〉をよく読もう。